Bonne Fortune !

Alain
Garand 2015

L'an deux mille trente-trois

La parfaite hypothèse de la deuxième tragédie du Titanic

Un hommage à l'environnement

Alain Gendreau

Le **Diable** blanc

Les Éditions Le Diable blanc
890 Labonté
Longueuil (Québec) J4H 2R8

Tél.: 450.463.3359

#514- 932-0505

alaingendreau @
sympatica·ca

1ere édition

#ISBN: 2-9807624-0-7

Dépôt légal: 3eme trimestre 2002
Bibliothèque nationale du Québec
Bibliothèque nationale du Canada

Édition: Les Éditions Le Diable blanc
Conception graphique: INFOGRIFFE Design
Illustrateurs:
Page couverture et page 153, Michelle Doyle. Page 19, 27, Lyne Beaumier.
Page 35, 167, Jean Bonanni. Page 43, 85, 97, 145, 207, Alain Gendreau.
Page 49, 73, Sylvie Daviault. Page 57, Doris Savard. Page 201, M. A. Lacey.
Page 63, Marie-Andrée Leblond. Page 79, Milie-Dapnée Leduc.
Page 85, Marie-Josée Beaudoin et Alain Gendreau. Page 107, Julie Graton.
Page 111, 159, Marie-Lyne Lortie. Page 187, Jocelyne Bellemare.
Page 119, 135, 175, Maxime et Stella Maillot. Page 213, Mariette Savard.

Remerciements :
La Coalition des Artistes Long'Oeil,
La Banque Nationale de la Montérégie,
La Caisse Populaire St-Pierre Apôtre de Longueuil,
Richard Blackburn, Le Théâtre de la Dame de Coeur,
Louis-Éric Vallée, publiciste,
Gaston Véronneau, joaillier,
Laurent Daigneault, notaire,
Maurice Gaudry, parrain, mari de Blanche,
Les enfants d'André et d'Exillia (Croisetière) Desnoyers,
Les enfants de Philippe et Georgiana (Grondin) Gendreau,
Stéphane Rivard, comédien,
Sylvie Pellerin, comptable,
Benoit Paiement, comédien,
Gyslain Landry, poète,
Les éditions Glénat, Grenoble Cedex,
Roger Cantin, cinéaste,
Jacques Plante, auteur.

À Blanche

J'avais dix ans et je raconte à ma marraine qu'un jour, j'écrirai un livre. Je m'amusais avec les jouets de Claude dans l'escalier qui mène à leurs chambres, devant une fontaine que Maurice venait de faire installer.

Elle m'a regardé mais je ne me souviens pas ce qu'elle a répondu. Je me souviens seulement qu'elle n'a pas ri de moi.

«Tant que les grands exploitants ne
s'impliqueront pas activement dans
le dossier de l'environnement,
on est foutu !»

... et vive la télévision.

«Pendant une fraction de seconde, je crus que c'était un cadavre et je manquai de mourir de peur ! Mais ce que je regardais n'était en fait que la tête de porcelaine d'une poupée dont les cheveux et le corps avaient disparu !

Ma surprise se changea en chagrin en pensant à l'enfant à qui cette poupée avait appartenu. Cette petite fille avait-elle survécu dans un des canots ? Ou bien avait-elle serré cette poupée dans ses bras alors qu'elle se noyait dans ces eaux glacées ?»

Robert D Ballard, L'EXPLORATION DU TITANIC, 1986

PREMIÈRE PARTIE

Un joyau architectural

La naissance d'un fantôme

Je ne sais trop par où commencer. Il me semble que le sort de l'humanité est entre mes mains. Mes petites mains. Je suis de la famille des Hogdson de Dublin. Je suis ouvrier de chantiers navals. Ou plutôt, j'étais. Je posais des boulons. J'ai eu un accident mortel à cause de hauts financiers tyranniques. Ma simple et intègre vie n'avait pas beaucoup de signification, sauf parmi les miens. Alors que je m'étais rendu sur le chantier de travail pour une journée aussi harassante que les autres, j'allai au delà d'une vaillance qui me fut fatale. J'avais une femme et une jeune enfant mais... enfin... ils s'y sont accoutumés. Ces messieurs de la haute finance nous devaient tout, à nous, les ouvriers. Je le sais parce qu'un de mes compagnons de travail m'a dit qu'ils ont déjà proclamé: «Sans vous, nous ne serions rien !» Les responsables du chantier de construction, tyrannisés par ces hauts financiers, bâclèrent la terminaison sectorielle du bâtiment en construction. Et ce fut l'horreur. Je me suis retrouvé enfermé dans une section étanche de la coque du *Titanic*. Ils n'ont jamais voulu prendre le temps de rouvrir la coque. Je crois qu'ils n'avaient pas le droit de prendre une telle décision. Et d'ailleurs pourquoi ? Quelqu'un s'est-il rendu compte de quelque chose ? Un si petit homme allait-il faire dévier leur gigantesque entreprise ? Habiles, ils se sont bien arrangés pour que rien ne se sache. Ils ont fait de moi un saint patron à jamais inconnu mais, d'autres allaient me suivre plusieurs jours plus tard.

Ils nous ont monté un bien beau bateau. La plupart des gens ont cru à la promesse d'un vaisseau libérateur. Ces vendeurs de vies nouvelles disaient que leur navire des dieux allait tout changer. Là, ils ont eu raison. Maintenant je suis un esprit, un fantôme, mais pas un spectre.

Pourtant je ne leur en veux pas. C'est bien là le réel problème. Ma mollesse, mon absence de colère ont joué et jouent toujours contre moi. Je crois qu'un esprit doit être très en colère pour faire bouger les choses, et ceci n'est pas une métaphore. Les hanter pour leur parler ? La belle affaire ! En leur présence, j'eus beau tenter de remuer terre et mer; rien à faire. Je n'arrivais même pas à faire bouger le plus volatile de leurs cheveux. Cent ans ainsi. Cent ans d'inutilité. Toutefois, je dois bien admettre qu'un siècle d'errance parmi les humains, c'est instructif. À l'époque, pauvre ouvrier que j'étais, je ne connaissais rien. Aujourd'hui, j'ai appris beaucoup de choses. C'est intéressant et très beau aussi. Si j'étais encore vivant, il est certain que je... Peu importe.

J'aurais seulement voulu leur parler. J'aurais voulu me faire spectre, du genre à faire peur pour pouvoir indiquer aux magnats qu'ils détruisent nos vies avec leurs corpulents projets de société. Leur dire que les raisons qui ont fait couler le *R.M.S. Titanic* ne se trouvaient pas sur le navire. Leur dire que lors de son départ, le mercredi 12 avril 1912, il y avait déjà un cadavre à bord. Imaginez: un navire tout neuf qui possédait déjà son fantôme !... Leur dire que le *New York* (pourquoi ce nom, justement ?), ce navire accidentellement détaché par les grosses vagues du *Titanic* et qui est passé à quelques centimètres de le frapper, voulait peut-être lui dire quelque chose. Il n'a pourtant pas raté une observatrice, sur un quai, morte en pleine admiration pour le passage du plus grand navire au monde. Le fracas provoqué par la brisure d'amarres du *New-York* donna l'impression d'une série de détonations de petits canons. Comme dans des funérailles militaires. Dans leur rupture, un câble alla claquer sur la pauvre victime et la tua net. On a pu dire: «Le *New York* a frappé ! Pas le *Titanic* !» Était-il déjà maudit ? Leur dire que la musique de l'acier peut faire pleurer. Ma mollesse m'enleva la force nécessaire pour être entendu. Maintenant je suis un esprit. Un fantôme. Pas un spectre.

Je me préparais à retourner à jamais dans le néant quand, trois quart de siècle plus tard, un fait tragique retint mon attention. La petite fille d'un spécialiste en prévention de catastrophes immobilières fut victime d'un accident mortel. Pour le comble, là aussi il y avait eu négligence. Petite tragédie qui devait obligatoirement mener à une autre. Mais cela ne me disait toujours pas où je devais commencer.

Ce n'est que lorsqu'on voulut relancer l'aventure de l'épave du *Titanic* avec un grand projet architectural, en 2033, que m'est apparu le besoin, l'urgence de répéter le cri d'alarme non compris de cette tragédie. Surtout que ce spécialiste en prévention était directement concerné. Je ne pouvais croire ce qui se tramait !

Les morts du *Titanic* veulent avoir la paix. C'est leur dernier droit. Ils ont suffisamment souffert. Ils auraient tout donné pour ne pas être là. Tout. Sauf leur vie. Riches ou pauvres, adultes ou enfants, surtout enfants, on a joué avec leur destin comme on joue aux dés. Si on s'avise de redescendre les «renifler», ils nous y attireront volontiers. Leur colère nous attend. Et si on donnait la chance au *Titanic* lui-même de se faire entendre, il trouverait à qui parler. «N'allez pas là!» crierait-il peut-être. Je ne souhaite à personnne de voir ce que j'y ai vu. Pas question d'entrer en communication avec eux. Horrible. Alors, comment convaincre les instigateurs de cette aventure architecturale, pourtant hautement sécuritaire, de se rétracter? Cette dernière ne saurait-elle être que maudite?

Je suis esprit, fantôme, pas spectre et il n'y a aucun cours théorique pour apprendre à devenir une âme communicatrice. J'aurais voulu éviter l'avènement de l'histoire que je vais vous raconter. Une aventure que je tentai de faire avorter mais dans laquelle, faute de pouvoir, j'échouai. Je tentai d'amener ce présumé spécialiste de la sécurité architecturale, à une retraite anticipée. Je n'arrivai qu'à montrer à un aveugle, parce que trop imbu de lui-même, l'objet symbolique de sa tragédie. Je tentai de bouleverser les sens d'une jeune femme, pourtant très sensible, mais n'arrivai qu'à l'effleurer. Je tentai de m'immiscer dans les rêves d'un agent de sécurité plutôt prévoyant (que le même fait tragique dirigea vers une carrière moins élitique que le spécialiste) avec les images de mon malheur mais qui, malheureusement, ne vit là que des rêves. Et je le comprends un peu, je ne lui parlais que de moi. Ainsi:

Dong! Dong!

Dans le noir absolu, une main, mue par le désespoir, frappe un mur noir, une paroi d'acier noire où le frappeur n'a besoin d'aucune lumière pour savoir qu'elle est ajustée par des boulons noirs.

Dong! Dong!

Il voudrait simuler des coups sur un gong géant qu'il ne ferait pas mieux. Un visage s'approche de la tôle et crie un désespoir ultime. De la bouche ouverte, comme jamais elle ne le fut dans la vie de cet ouvrier, des cris sortent, inaudibles. Le rêve ne veut pas les entendre. Puis, ce sont ses yeux qui prennent la relève. Les yeux grands ouverts. Des yeux noirs qui n'acceptent pas de voir la mort, là, droit devant. Simplement parce qu'on l'a oublié là, lui, ce pauvre ouvrier. Les coups de gong, frappés sur la paroi avec une grosse clé à boulons, ne rejoignent personne. Et il n'y a pas assez d'air dans cette prison d'acier. L'horreur crie plus fort que ce que peuvent imaginer ces yeux. Le noir est la dernière image que verront ces yeux. Ces yeux que tous les travailleurs du chantier de construction du Titanic ont oublié là, vue l'urgence des délais. Ces pauvres yeux.

Fin du premier rêve.

Tentative un peu ridicule. Car je ne suis qu'un esprit, un fantôme, mais pas un spectre. Alors, sans trop savoir ce que je faisais, j'essayai à nouveau d'ultimes tentatives avant de partir à jamais pour le néant, en traitant directement de la grande tragédie d'avril 1912:

Le noir est très désagréable. Surtout à un moment où nous avons le plus besoin des éléments que nous chérissons et qui, eux, habituellement, se meuvent dans la lumière. Nous détestons le froid du noir. Le noir. En particulier si l'on se dirige rapidement et contre sa volonté dans la direction opposée à cette lumière. Direction noire, si noire, que le cauchemar chavire dans une froideur liquide tellement affreuse et lourde que la lumière elle-même paniquerait et voudrait aller se faire voir ailleurs. Le bruit infernal de tôles géantes qui se tordent sous leur propre pression, accompagne les centaines de voix humaines pleurant la mort imminente.

Fin du deuxième rêve.

L'objet

Pas de lune. Le rêveur est réveillé par un cri strident, mais harmonieux à la fois. Il ne prend pas le temps de méditer sur la signification de son récent rêve car il cherche d'où vient ce cri. Il voit, devant lui, une embarcation qui s'amène vers la rive. Le cri en provient. L'embarcation, un petit canot-moteur de luxe, se prépare difficilement à terminer sa course vers le petit quai qui l'attend. Les manoeuvres d'accostage laissent facilement deviner que les deux passagers ne sont pas tout à fait dans un état normal. C'est la fin de la fête. Le premier des deux passagers à débarquer est une jeune femme. Elle commence maladroitement à amarrer l'embarcation dans un discours interminable, apparement dénué d'intérêt pour le deuxième passager. Ce dernier s'affaire négligemment à couper les moteurs et à donner des sacs de victuailles à la jeune femme qui, en fait, est sa fille. Ces ravitaillements risquent gros dans ce débarquement, vu l'état d'ébriété avancé des deux étourdis. Mais peu importe; l'heure est à la fête, heure tardive, heure nocturne. Alex Tight lance, presque sans avertissement, les derniers ravitaillements dans les mains de sa fille. Habitués à ce genre de manoeuvres, ces marins d'occasion connaissent la prudence. N'a pas le pied marin qui veut. Et pourtant, Anic l'a ce pied. Elle l'a solide. Ce qui n'empêche pas l'alcool qu'elle a dans le sang de trahir son équilibre et de la faire basculer dans l'élément liquide, les bras pleins des provisions d'avant-fête. Lui, trouve la scène plutôt drôle. Il rappelle cependant à Anic qu'elle n'est pas en état de se baigner, que ce n'est pas le moment. Il lui ordonne donc de sortir de là, lui recommandant de ne pas laisser de nourriture à l'eau. Comme si c'était tout simple. Riant à s'en presque noyer, elle sort de l'eau, aidée de son père. Le plaisir est surtout pour lui. Ils s'approchent de la résidence bras dessus, bras dessous, lui, continuant ses recommandations à une Anic trop occupée à s'égoutter pour entendre ce qu'il lui piaille. Moins elle est réceptive à ce qu'il lui vocifère, plus il trouve la situation drôle. Anic, qui trouve tout juste la contenance nécessaire pour suivre son père, se rend compte qu'elle a les bras vides et doit retourner près du bateau, récupérer la marchandise oubliée et mouillée. Alex Tight ne s'occupe pas du manège d'Anic derrière lui et continue ses aboiements mêlés de ricanements et de cuves d'alcool. Pendant qu'elle s'efforce de ramasser davantage que ce que ses deux bras ne lui permettent, son père, discourant toujours dans le vide, passe brusquement d'un éclat de rire à la colère. Au pas de la porte, un étranger, pas si étranger peut-être, se lève à l'approche de Tight. Alex Tight est ingénieur-consultant-chef en systèmes de sécurité de mégastructures architecturales à l'échelle mondiale et son physique, mince, un mètre quatre-vingt-cinq, propose une autorité indiscutable.

- Que fais-tu ici, toi ?... demande Tight à cet intrus encore endormi.

Anic, toujours dans son bruyant discours d'après-fête, revient vers son père et remarque que celui-ci a complètement changé d'attitude.

- Tu n'as pas d'affaire ici ! Je préférerais que tu t'en ailles ! lance l'ingénieur à l'étranger, sur un ton qui confirme à Anic qu'il s'agit d'un indésirable.

Par son calme, pourtant, le visiteur nocturne ne semble pas mériter cette hargne de la part de Tight. Hargne et colère qui ne semblent absolument pas le toucher.

- Non, non, ne t'inquiète pas ! Je ne faisais que passer pour te dire un p'tit bonjour ! Ça fait tellement longtemps ! réplique enfin l'étranger.

«Me dire bonjour, mon oeil !» semble dire le regard de l'ingénieur. Cette attitude de son père confirme à Anic que cet homme n'est effectivement pas venu jusqu'ici, à son chalet, en pleine nuit pour le saluer.

- C'est qui, papa ? demande-t-elle.

Se retournant, l'étranger regarde dédaigneusement la jeune femme toute dégoulinante avec l'air de penser: «Ah ! C'est ta fille, ça !...» Puis, il ignore Anic. Impudent, il s'approche très près de l'ingénieur.

- J'ai appris que c'est demain qu'on donne le banquet en ton honneur !

Une attaque qui fait pâlir Tight.

- Les égards dûs à une carrière honorable et sans reproche de quarante ans... Bravo ! Mes félicitations ! ajoute l'insolent, toujours à quelques pouces du nez de l'ingénieur.

- Content de connaître... ta fille, lance-t-il en la regardant à nouveau.

Anic fait un pas vers lui pour lui serrer la main, question de se présenter et de détendre l'atmosphère brusquement perturbée. Il l'ignore à nouveau en guise de réponse. Comme s'il avait déjà prémédité son coup pour la faire sombrer dans son piège du ridicule. Anic en est blessée. Elle voudrait bien ajouter quelque chose mais n'arrive qu'à ouvrir grande la bouche d'où ne sort aucun son. L'intrus fait mine de partir, faisant un quart de tour sur lui-même. Après une quasi imperceptible hésitation, il revient à sa position initiale. Hypocrite.

- Ah oui, au fait !... J'allais oublier. Ce petit quelque chose sans lequel ton... couronnement ne saurait être complet. Salut !

En terminant, l'étranger lui donne un petit objet. Il part en bousculant à demi Anic. Exactement comme si elle n'existait pas, ou plutôt, comme s'il avait fait exprès de l'ignorer. Tight est hypnotisé par l'objet. Anic ne comprend rien mais voit bien la terreur soudaine qui se lit dans les yeux de son père. Terreur qui le fige.

- C'est qui ce gros ours-là ? demande Anic.

- Ah... il... LeMadelaine. Kirk LeMadelaine... euh... Peu importe ! Hé ! Ce n'est qu'un fauteur de troubles ! répond-il d'une voix hésitante et faussement rieuse.

Il met rapidement et nerveusement l'objet dans sa poche. Connaissant bien son père, Anic comprend qu'il n'est pas question de l'interroger sur cet objet. Se remettant quelque peu de ses émotions, très tendrement, il invite sa fille à entrer dans le chalet.

Le déjeuner raté

Le soleil se lève sur le lac. Il est trop tôt pour apprécier les couleurs des arbres, bosquets et haies qui ornent ce joli petit environnement campagnard. Seuls leurs formes et le début du chant des oiseaux en font la promesse. Une silhouette humaine détache le canot-moteur, y embarque, réveille le moteur et démarre à fond de train. Le bruit tire Anic de son congé nocturne. Elle se lève, à demi engourdie par le sommeil et le poids des turpitudes de la veille, se rend à la fenêtre et a tout juste le temps de voir son père filer à toute allure vers le large. «Ah ? Bizarre ! Lui qui ne se lève jamais très tôt. Surtout un lendemain de veille !» pense-t-elle. Puis, sous les ordres répétés d'un mal de tête qui lui appuie un peu trop fort sur les tempes, elle obéit. Anic quitte le bord de la fenêtre et retourne se coucher. Elle s'endort pour ne s'éveiller qu'à 14 heures.

- Déjà ? se lève-t-elle, coupable.

Se rendant à la salle de bain, elle passe devant la chambre d'Alex sans rien remarquer. À la cuisine, elle a la surprise de constater que le café de la princesse, comme il dit toujours, n'est pas fait. Elle remarque que la cage de l'oiseau n'est toujours pas découverte et, fait plus étrange encore, le petit déjeuner... Aucun cérémonial n'est en place. Des habitudes pourtant ancrées comme racines au sol. Mais ce qui la tracasse davantage, c'est l'absence de son père. Car elle avait prévu se prêter à un petit jeu de persuasion en portant, ne serait-ce que pour la lui montrer, la robe qu'elle voudrait revêtir ce soir en l'accompagnant au gala donné en son honneur, malgré l'interdiction qu'il lui en a faite. Elle exerce le même métier que lui, cependant il lui a toujours dit que c'est en ne l'aidant pas qu'il lui formerait véritablement le caractère. Caractère qu'elle a pourtant hérité de lui. Une aubaine ? Les ingénieurs en sécurité structurale sont, avant tout, des architectes accomplis. C'est un métier difficile où il faut beaucoup d'aplomb. Beaucoup d'autorité. À trente-trois ans, le fait qu'elle soit plutôt mignonne, cache un peu cette autorité que lui a léguée son père. Vu l'absence de ce dernier, ce matin, son petit jeu est raté. Afin de remplacer la petite mise en scène prévue, elle sort tout de même la robe de sa cachette et l'expose, sur un mannequin, en pleine salle à manger, sans omettre les accessoires: souliers, sac à main et bijoux. Amusée à l'idée d'ajouter un deuxième élément à son plan, Anic décide d'aller rapidement chercher le toxédo du héros du jour afin d'exposer les deux tenues de soirées côte à côte et ainsi ajouter un peu d'effet à son plan de séduction. Après avoir jeté un coup d'oeil vers le lac, espérant le voir arriver, elle vole à la chambre de son père en chantant de sa belle voix, un talent qu'elle a choisi, par le passé, de ne pas exploiter. Au pied du lit se trouvent les souliers qu'elle ramasse. Elle laisse échapper un petit cri d'effroi. L'image du lit qui n'a pas été défait et les quelques objets qu'elle y a déposés la veille et qui n'ont pas été déplacés depuis, lui font imaginer le pire. Son père aurait passé la nuit debout ! Elle se souvient qu'à l'aurore, il est retourné sur le lac. Et pas dans le meilleur état, en plus !

- Mais où est-il donc ? panique-t-elle en prenant une poignée de croustilles dans le grand bol qu'elle se charge régulièrement de tenir plein à ras bord.

Toujours pieds nus, en robe de nuit, les souliers de son père dans une main, Anic court jusqu'au bout du quai dans l'espoir d'apercevoir quelque chose sur l'horizon liquide. Rien. Elle marche nerveusement vers le chalet et s'assoit sur le même banc où hier, l'étranger attendait. L'inconfort du banc l'incite à se relever. Elle décide de téléphoner à l'endroit où se tenait la petite fête de la veille. «Pas vu !» lui répondent-t-ils. N'arrivant pas à garder son calme, elle appelle les garde-côtes. Elle retourne attendre sur le petit banc en se rongeant les ongles d'une main, l'autre tenant toujours les souliers noirs. Maudit banc inconfortable ! Elle retourne à la chambre des maîtres, à la recherche d'un indice. Rien. Au moment où elle va quitter la pièce, Anic voit l'objet remis hier à son père par l'étrange individu. Elle le prend, se demandant si ce n'est pas ce damné petit machin métallique, ressemblant à une patte d'oiseau relié à un petit carré perforé, qui est à l'origine de tout ce branle-bas. Et pourquoi ? À cet instant précis, elle entend le bruit du moteur de l'embarcation de son père. Elle dépose l'objet et va à sa rencontre. Même s'il s'est toujours sorti de toutes situations, c'est bouche bée qu'Anic le regarde entrer dans le chalet.

- Tu n'as pas l'air dans ton assiette ! dit-il à sa fille en tapotant la cage de l'oiseau.

Aucune mention du fait qu'il ait omis de s'en occuper, ce matin. Anic n'en revient pas.

- Il n'y a pas de café ? clame-t-il.

Question qui, pour Anic, frise l'insolence. Il ouvre une porte de l'armoire sans rien y prendre et la referme. Il y a pourtant du café en abondance. «Pourquoi cette question puisque c'est lui-même qui l'a acheté hier, lors des courses d'avant-fête ? pense Anic. Pourquoi cette attitude soudaine, nouvelle, cette désinvolture ?»

- Je dois me presser ! Je dois être là-bas pour 19 heures ! dit-il en saisissant les souliers des mains de sa fille.

Tournant les talons pour se diriger vers l'escalier, il proclame: «La journée est magnifique !» Faisant de grands gestes, souliers en mains, il accroche le mannequin qui tombe par terre. Il regarde la robe, remarque que son habit de soirée est là, juste à côté, et comprend la mise en scène que manigance sa fille. Il regarde Anic et lui répète qu'il ne veut pas qu'elle l'accompagne au gala donné en son honneur. Si ça le rend trop mal à l'aise d'avoir à féliciter de jeunes ingénieurs en présence de sa fille, c'est qu'elle aussi serait en droit de recevoir quelques éloges. Même dans ce cas-ci, pas question de déroger à ses principes. Il s'apprête à redresser le mannequin et se pique un doigt sur une décoration originale de la robe. Une petite goutte de sang touche la robe. À peine visible. Saisissant son toxédo au passage, il profite de sa blessure pour disparaitre vers sa chambre, la laissant se débrouiller avec le dégât. Anic, qui n'a pas eu le temps de s'occuper de la légère blessure de son père, regarde un moment la robe gisant au sol et a l'impression que ses efforts de persuasion y sont également. Ne se laissant pas abattre, elle ramasse en vitesse robe et accessoires et disparaît à son tour dans sa chambre, laissant les mannequins traîner au milieu de la pièce, nus. Ces derniers sont les seuls témoins des garde-côtes qui accostent et entrent dans une maison vide de réponse à leurs appels. Les mannequins, l'un couché au sol et l'autre debout, ne leur donnant aucun indice, les gardes osent se rendre à la première chambre. Ils y découvrent Alex Tight devant le miroir, ajustant son noeud papillon. Il a déjà endossé chemise et veston mais sans le pantalon. Gênés, les policiers maritimes restent muets. Surtout qu'il est prétendument disparu. Tight, qui les voit dans le miroir, n'ose se retourner. Anic les a vus arriver de loin et accourt vers la chambre d'Alex. Elle entre en trombe, robe de gala encore mal ajustée et brosse à cheveux entre les dents. Elle marmonne quelque chose d'incompréhensible à propos des garde-côtes qu'elle avait oubliés et fige à son tour.

- Ah, c'est fin, ça ! Félicitations, princesse ! Avec toi, on n'a pas besoin de système d'alarme ni de gardien de sécurité ! lance Tight qui se retourne enfin.

Les deux gardiens se regardent, inutiles. Anic se sent complètement ridicule.

À l'orée du lac, les murs du chalet absorbent les rires d'Alex mêlés de «J'ai dit non.», de «...bien belle ta robe, mais !...» et encore de «J'ai dit non !»

Le banquet d'honneur

Les énormes portes de la salle de gala s'ouvrent. Apparaissent Anic et son père. Ils sont resplendissants. Dans une convivialité un peu excessive, l'ingénieur et son escorte se rendent tant bien que mal à la table d'honneur qui leur est destinée. La salle de gala est somptueuse. La scène est surplombée d'un écran démesuré. Les personnalités ayant rejoint leur table respective, une petite musique d'atmosphère précède et accompagne le maître de cérémonie qui monte sur scène. Afin de lui laisser prendre la parole, le volume de la musique s'atténue. Après quelques plaisanteries bien placées comme le fait de traiter Alex Tight de policier architectural, l'écran géant s'illumine. Apparaissent des formes et des mouvements variés. Une légère musique accompagne la description des magnifiques paysages puis des cités que l'on survole. On reconnaît la voix du Frank Sinatra du moment, le tout accompagné d'extraits de ballets et d'airs d'opéras. Les interventions habiles du narrateur et du maître de cérémonie, la musique et les images nous amènent peu à peu dans la biographie de l'ingénieur. On y voit nombre de structures et de bâtiments sur lesquels il a été amené à travailler au cours de sa longue carrière. L'image s'attarde sur l'énorme structure d'un hôtel qui s'agrippe au flanc parfaitement vertical d'une falaise. On l'appelle l'*Araignée-Hôtel*. Peu après, c'est au tour d'un assemblage de gigantesques cubes accolés les uns aux autres, tenant sur un unique et solide bloc, identique à tous les autres. Le tout donne l'impression d'un arbre aux formes grossièrement carrées. Ce n'est qu'en remarquant les centaines de fenêtres aux flancs de la structure que les spectateurs se rendent compte qu'il s'agit d'une ville entière qui tient, à toute fin pratique, sur un seul pilier. L'*Arbre-Ville* : la nouvelle façon de vivre en plein désert, en ne manquant de rien de ce que le monde moderne peut offrir. Narrateur et maître de cérémonie blaguent à la vue de cette forme massive qui tient sur un appui unique. Pour terminer, les spectateurs voient un *Boeing 777* atterrissant sur un aéroport suspendu. Le maître de cérémonie fait une blague en voyant cette structure. Deux fois et demie la hauteur du *World Trade Center* de New York, elle ressemble à une petite table ronde avec ses trois pattes arquées. Cette construction est la garantie d'un aéroport silencieux en plein centre-ville: le *Silent-Airport*.

- Fait remarquable, mesdames et messieurs, toutes ces structures auraient pu être le théâtre de tragédies majeures, n'eût été l'intervention de notre invité d'honneur ! ajoute le narrateur à l'écran, ignorant quelques railleries du maître de cérémonie.

Pour une fois, avec l'*Araignée-Hôtel*, les architectes parièrent que l'intervention de l'ingénieur serait inutile. Et ils eurent raison. L'ingénieur ne trouva effectivement aucune anomalie à la structure elle-même. C'est cinq cents mètres plus haut que se trouva le problème. Effectivement, à cet endroit se dresse une protubérance rocheuse qui, à première vue, n'a rien de menaçant. Cependant, après un temps difficile à évaluer, s'il se produisait un tremblement de terre, même léger, il y aurait de forts risques pour que cette masse rocheuse se décroche, de l'inquiétante façon présentée à l'écran. En tombant, elle frappe l'*Araignée-Hôtel* qui se fait arracher de la paroi rocheuse et dégringole les trois quarts de kilomètre qui le séparent du fond du gouffre, entraînant avec lui tous ses habitants vers une mort qu'il n'est plus nécessaire de décrire. Bien qu'estomaqué, l'auditoire applaudit. On revient ensuite à l'*Arbre-Ville*. Modifiant un peu le design, Tight proposa de renforcer la tête du bloc servant de pied à l'arbre d'acier, en y rapprochant deux et même trois blocs-bâtiments, diminuant un peu l'allure d'arbre de la structure originale, faisant fi des raisons de marketing que les concepteurs espéraient utiliser. Comme l'observent les spectateurs, ici le danger est que la structure surélevée ne s'enfonce, dans un fracas terrible, à même le bloc de base, provoquant de lourdes pertes humaines et matérielles. Moins de dix secondes plus tard, vu la quantité de matière énergétique et inflammable procurant au bâtiment son indépendance, tout saute dans une explosion spectaculaire. Après quelques mots du narrateur et du maître de cérémonie, l'auditoire demeure silencieux. Pour terminer, le *Silent-Airport* passe à l'écran. Tight imposa, jadis, que l'on ajoute au moins six puissants câbles d'acier, partant du sol jusqu'au sommet de la structure. Les spectateurs voient à nouveau un *Boeing 777* qui se prépare à se poser sur la piste suspendue. Cette fois, des vents violents, ayant trop d'emprise sous la plate-forme, la déstabilisent et la font sortir de ses ancrages. En exagérant à peine, cela pourrait se produire à San Francisco: cette ville se méfie depuis toujours d'une semblable catastrophe reliée à une cause naturelle ou autre. À l'écran, d'une seconde à l'autre, l'avion qui allait tout juste toucher la piste, se retrouve, plus rien sous les roues. Brusquement détachée de deux des trois pattes arquées géantes puis soulevée par les forces de la nature, la plate-forme géante servant de piste d'atterrissage, retombe violemment sur les deux pattes et se brise en deux parties inégales. La plus grande partie, maintenant trop lourde, bascule vers le bas, projetant dans le vide la quinzaine d'avions de ligne en place. Elle demeure accrochée, quelques secondes encore, grâce aux innombrables tiges d'acier qui arment le béton. Dans son balancement, cette grande partie de la plate-forme frappe l'une des pattes géantes, l'endommageant gravement. Elle s'arrache ensuite de ses tiges et tombe en plein centre-ville. À peine les citoyens ont-ils le temps de réaliser ce qui vient de se passer que la patte géante, fatalement ébranlée par le coup précédent, se casse presqu'à sa base et tombe sur un autre secteur de la ville. L'image s'immobilise sur cette dernière catastrophe. Bien sûr, on a exagéré, mais une structure de cette taille et de cette envergure est à la merci d'éléments naturels peu contrôlables qui peuvent dépasser l'imagination, la compétence et le savoir. Lors de la conception, on ne croyait pas vraiment à la pertinence de ces puissants câbles. Par la suite, la structure devenue tellement imposante une fois terminée, on a reconsidéré les risques afin de n'être jamais témoin de ce qui demeure fixé à l'écran. L'auditoire, yeux et bouches grands ouverts, laisse toutes mouches présentes résonner de leur vol. Le narrateur et le maître de cérémonie se gardent bien, eux aussi, de parler, laissant toute la place à l'effet que l'atroce exposé vient de produire. Peu à peu, comme s'il se remettait lui-même de toutes ces émotions, le narrateur, en voix hors-champ, propose au maître de cérémonie de passer aux choses sérieuses et d'inviter l'ingénieur à prendre la parole. Happé par les applaudissements, Alex Tight monte sur la scène. À cet instant, l'image de la catastrophe disparaît de l'écran géant pour montrer l'image des trois structures prémentionnées, côte à côte cette fois, dans leur état le plus resplendissant et corrigées d'après les propositions de l'ingénieur. Visiblement gêné, Tight se limite à remercier les gens de leur présence et à souligner le plaisir qu'il a eu, durant toutes ces années, à embêter les architectes dans leurs mégaprojets. Il mentionne que lorsque le maître de cérémonie disait, tout à l'heure, que lui, Tight, est une espèce de policier sévère dont le travail consiste à jouer les chiens de garde avec les architectes et leurs projets, il mentait un peu ! Il corrige en précisant

qu'il n'a pas ce genre de cruauté en lui mais, qu'en fait, il est tout juste un impitoyable tortionnaire à leur égard. Après un petit rire de l'audience, il confesse qu'il agit ainsi pour le bien de l'humanité. Rien d'autre. Il ajoute que les architectes, dorénavant, auront de moins en moins la paix, puisqu'il a formé une relève d'une dizaine de jeunes ingénieurs qu'il présente. Ils ont suivi avec succès ses conférences, ses cours et ont fait des stages de travail. À leur tour, ils ne cesseront de surveiller de près les architectes et promoteurs de mégaprojets de demain. Personne ne semble remarquer qu'il ne fait aucune mention de sa fille, pourtant présente, ingénieure elle aussi.

- Son influence demeurera ! lance le maître de cérémonie avec un brin de romantisme. Puis il ajoute:

- Mesdames et messieurs, afin d'honorer la carrière de monsieur Alex Tight, l'homme qui ne prend jamais de décisions risquées, permettez-moi de tous vous inviter à lui remettre le trophée de l'Immortelle Ingénierie.

Des coulisses et sous les applaudissements, sort une jeune demoiselle qui porte le trophée. Elle se dirige vers Tight. La musique envoûtante et rythmée qui l'accompagne semble n'avoir été conçue que pour le balancement évocateur de tout son corps. Tight reçoit finalement le trophée; une parfaite réplique en or d'un char de la Rome antique en plein hippisme. L'émotion étreint l'ingénieur au moment où se prépare la plus grande confusion de toute sa vie. Il voudrait bien reprendre la parole mais les applaudissements l'en empêchent. Tout le monde est debout. Il reste donc silencieux un moment. Son regard semble chercher quelqu'un parmi tous les occupants de la salle; il a peur que Kirk LeMadelaine, le visiteur de la nuit dernière, ne se manifeste à ce moment précis. À demi rassuré, une profonde respiration lui soustrait une bonne dose d'angoisse. Ce subtil manège n'échappe pas à Anic. Attendant quelques secondes le retour au calme de l'auditoire, versant une larme ou deux, il annonce officiellement sa retraite. La nouvelle est reçue avec stupeur, presque indignation. Tous se demandent pourquoi personne n'a été mis au courant. Une désagréable sensation de *mais-il-dérange-les-plans-de-tout-le-monde !* plane dans la salle. Sans plus, comme si de rien n'était, Tight descend de la scène et retourne à sa table où l'attend sa fille estomaquée, laissant le maître de cérémonie se débrouiller avec son impromptue sortie de piste. Cette joie, un peu exagérée aux yeux d'Anic, lui donne la drôle d'impression que son père vient de remporter une grande victoire contre une souris. Le maître de cérémonie réussit à sauver la situation. C'est son rôle. Il invite les convives à se rendre au bord de la piscine pour un vin d'honneur.

Au moment où Alex et Anic sont à l'écart des invités, ceux-ci déconcertés à propos de la récente annonce, deux hommes vêtus de noir s'approchent d'eux. Un court instant, un frisson désagréable dérange Tight. Comme s'ils venaient lui annoncer la fin d'un ravissement ou le début d'une affliction. Les deux arrivants ont la mission d'inviter Alex à une partie de golf, invitation lancée par des présidents de multinationales. L'un des présidents est bien connu de l'ingénieur. Devant l'hésitation de l'intéressé, ils lui signalent qu'une réponse immédiate est requise. Rassuré, Tight accepte.

- Ah oui, ils insistent sur la présence de votre charmante fille ! ajoute celui qui a pris la parole, avant de disparaître avec son sombre collègue.

- Qu'est-ce que c'est que ce mystère ? demande Anic.

- Ce n'est pas un mystère. Je dirais même que c'est une très bonne idée... que de célébrer ma retraite par une bonne partie de golf chez ces rupins. Tu es de la fête ? lance-t-il pour toute réponse.

À la fois amusée et intriguée, elle fait un signe de tête affirmatif.

- Tu sais, Anic, je crois que ma seule déception, dans tout ça, c'est que je ne deviendrai pas une légende...

- ...

Ils retournent ensuite à la piscine, affronter les gens encore sous le choc de la déclaration d'Alex.

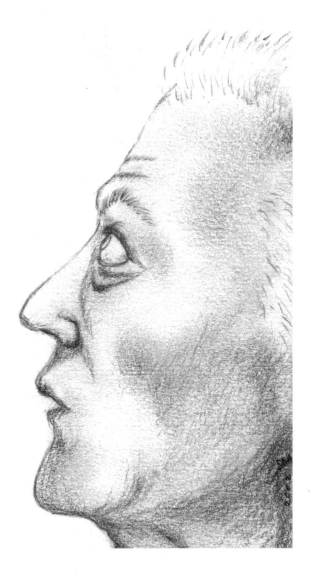

49

La décision

Le soleil est resplendissant. La partie de golf est sur le point de se terminer. Les hôtes de Tight et de sa fille ont eu, tout au long de cette partie, davantage de plaisir à exhiber leur gros ventre et leur vanité, qu'à se concentrer sur la petite balle blanche. Deux exceptions: la fille aînée du plus important de ces présidents vogue, comme un poisson dans l'eau, autour de cette bande de milliardaires, alors que le fils cadet bougonne en permanence parce que doublé par sa soeur dans la hiérarchie des affaires familiales. On a beau l'appeler respectueusement le Cigare, tout le pouvoir et l'influence de Louis Thorp Sr. n'empêchent aucunement Anic de le devancer aujourd'hui, de justesse cependant. Ce président, avec une fierté égale pour ses coups de bâtons et ses bons coups en négociations des affaires, laisse gagner Anic de bon coeur. Elle devient vite la vedette, le centre d'attraction de ces messieurs, la courtisée. «Jamais, de toute ma vie, je n'aurai été entourée d'autant de milliards de dollars!» pense-t-elle, juste pour le plaisir. Tight, lui, est heureux d'être là, simplement. La partie terminée, Louis Thorp Sr., l'heureux perdant, ne se gêne pas pour prendre Anic par le bras, comme une nouvelle reine, lui qui d'habitude n'en a que pour sa fille aînée. Il invite tout le monde à prendre un verre à son bureau situé au sommet du club de golf. On y parle de n'importe quoi. Il n'y a personne comme des hommes d'affaires pour parler, non pas d'affaires mais de tout ce qui n'a pas d'importance. Un vrai ballet de gros cigares puants et de blagues idiotes. On boit beaucoup. Au moment choisi, les hôtes demandent le silence. À la simple pression d'un petit bouton, une paroi du plancher s'ouvre. De cette ouverture sort lentement une table massive sur laquelle est exposée la maquette d'une structure immobilière aux formes étranges. Les yeux de Tight deviennent ceux d'un tigre qui vient d'apercevoir sa proie. L'éclair qui apparaît dans ceux d'Anic est également vif et inquiétant. «Mais qu'est-ce que c'est que ça?» Heureusement, dans ces moments-là, le silence a ses réponses.

- Voici le projet le plus extraordinaire conçu par l'architecte le plus fou que la terre n'ait jamais porté. Un musée sous-marin! Un musée sous l'océan! se réjouit le Cigare qui est aussi un des plus importants propriétaires immobiliers du monde occidental.

- Sous l'océan? émet Tight.

- Si ! Sous l'océan ! À presque cinq kilomètres de profondeur. Et il s'appelle: le musée du *Titanic* ! ronfle le prospère seigneur.

- Du ?... l'ingénieur ne peut en dire plus.

- Oui monsieur ! Le Musée du *Titanic*. Et rien d'autre ! confirme l'orgueilleux.

L'homme aux yeux de tigre s'approche lentement de la maquette.

- Le monde paiera une fortune pour visiter l'épave du *Titanic* ! Sur place, en personne, si je puis dire ! conclut le président.

- Vous êtes fous ! Vous avez pensé à l'épouvantable pression qu'il y a en dessous de ça ? ajoute le grand spécialiste en matière de sécurité architecturale.

- Évidemment ! fume le président.

- Vous êtes fous ! réitère Tight.

- Oui monsieur ! Puisqu'il est impossible de renflouer le *Titanic* et de l'offrir au public, eh bien, nous offrirons au public le plaisir de s'y rendre lui-même et de visiter les entrailles de l'épave, au sec ! informe le président que le cigare empêche de bien articuler.

Une heure durant, les six présidents de multinationales expliquent tout le fonctionnement des huit ans de construction que cela va prendre.

- Huit ans, c'est trop long ! dit le Cigare. Et il ajoute:

- Raison pour laquelle le mégaprojet est réparti en deux phases. Phase I: construction du musée autour de la proue avec hôtel, restaurant, casino, golf, fontaines. Un an après l'inauguration du musée, nous organisons un Télédon, avec la crème du show business, pour financer la phase II. Celle-ci consistera en la construction du musée autour de la poupe dépressurisée puis resubmergée afin de pouvoir y faire de la plongée sous-marine, construction d'une salle de spectacles grandiose aux murs et au fond de scène vitrés qui donnent sur l'univers marin, éclairé sur demande. On y trouvera également un centre de recherches médicales. Le passage entre les deux édifices se fera sur la mer de charbon, échappée jadis par le *Titanic* et demeurée intacte. On descendra au musée à partir d'une base flottante où navires et hélicoptères pourront s'immobiliser. Un jour, il s'y ajoutera, dans une troisième phase, une véritable cité sous-marine où même la base flottante pourra recevoir les avions, mais ça, c'est une autre histoire. Car ces trois phases n'étant que le quart du projet total, ni vous ni moi n'y serons. Il faudrait pour cela vivre au moins jusqu'à l'âge de cent cinquante ans. Pour le moment, nous avons tout en main pour mettre en chantier la première phase du projet. Il nous manque cependant un acteur. Et cet acteur est le plus grand ingénieur-consultant-chef en systèmes de sécurité de mégastructures architecturales à l'échelle de la planète ! Oui monsieur Tight ! Cette place vous revient ! Qu'en dites-vous ?

- Tout cela... tout cela est grandiose, messieurs ! C'est magnifique ! Mes félicitations, si vous me permettez ! J'ai vu bien des trucs dans ma vie mais ça ! Ça !... Ça dépasse tout ! s'esclaffe l'ingénieur.

Il regarde longtemps la maquette. Sa respiration se fait très irrégulière. On dirait quelqu'un qui passe du plus grand bonheur au plus profond désarroi de façon répétitive. Pour leur part, les présidents guettent une réaction leur donnant la réponse qu'ils attendent. Tight regarde toujours la maquette. Il est bien conscient du prix que coûte à tous le silence et l'inaction qu'il impose mais, ce n'est pas lui qui a demandé à être là. Il réagit enfin et livre la vide marchandise. Négatif. Il a déjà signalé officiellement qu'il prenait sa retraite.

- Alex, vous êtes un imbécile ! Vous allez nous mettre de jolis petits bâtons dans les roues ! Mais une décision est une décision ! Gaston, donne un autre scotch à chacun et, puisqu'il y a ces caisses de champagne pour l'occasion, ouvre-les et dis à tout le monde de finir son scotch ! ordonne le président.

Puis, la balade des cigares et des blagues idiotes, elles font davantage rire maintenant, reprend de plus belle. On permet même au temps de passer gratuitement. Il n'y a qu'Anic qui n'est plus de la fête. Elle avance vers la maquette comme un Frankenstein qui n'a pas encore compris qu'on vient de lui donner vie. Hypnotisée. Elle s'arrête. Elle réfléchit intensément. Puis, elle risque le tout pour le tout. À quelques pouces de la maquette, elle chuchote:

- Ça, ce sera mon projet ! C'est mon bébé ! Je bois à lui !

Elle laisse tomber les dernières gouttes de sa coupe de champagne sur la maquette et chuchote, encore pour elle-même:

- Bienvenue Anic !

Ensuite, elle jette au sol sa coupe qui éclate. Tous les hommes se tournent vers elle. Au même moment, elle se retourne face à tout le monde, appuie ses fesses sur la table qui supporte la maquette et lance:

- Messieurs, mon père et moi allons faire le projet ! Lui, en tant qu'ingénieur-consultant-chef, bien sûr ! Et moi, en tant que superviseure ! Je serai son assistante ! déclare-t-elle, effrontément.

Tight demeure stoïque. Tous les autres sont amusés.

- Messieurs, vous allez voir à l'oeuvre la plus fantastique, la plus renversante équipe encore jamais vue. Papa ?...

L'ingénieur n'a aucune envie de se sentir concerné.

- ... ou bien tu acceptes et fais de moi la superviseure que j'ai toujours mérité d'être, ce projet me donnant enfin l'occasion de devenir une ingénieure-consultante-chef telle que toi, mon père, ou bien tu vas devoir me tuer ! provoque Anic, en riant.

Parmi quelques rires, tous les yeux se tournent vers le père d'Anic. Bien que le simple fait de respirer ne puisse être considéré comme un spectacle, c'est quand même tout ce que Tight offre comme performance.

- Papa, puis-je avoir une autre coupe de champagne ?... S'il te plaît ? défie Anic.

Tight demeure froid. Rien ne le touche. Il n'y a que ses deux jambes qui veulent le lâcher.

- ... si tu acceptes l'idée, bien sûr ! ajoute l'insolente.

Un des présidents tend une coupe à l'ingénieur toujours immobile. Un autre y verse du champagne et d'un geste de la main, invite Tight à l'offrir à sa fille. Alex regarde la coupe un moment, lève les yeux vers Anic qu'il fixe quelques instants et s'approche lentement d'elle. Fixant toujours ses yeux, il lui donne finalement la coupe. Les témoins ont envie d'applaudir. Anic boit d'un trait et redonne la coupe à son père. Il la tend à l'homme derrière lui, afin qu'il la remplisse à nouveau. Très sérieux, comme en colère, il regarde encore longtemps sa fille. Finalement, il boit la coupe de champagne. Il verse la dernière goutte sur la maquette et, très cérémonieusement, lance la coupe au sol, imitant sa fille. Heureuse, Anic se jette dans les bras de son père, l'embrassant chaleureusement. Tous applaudissent. Tous, sauf Louis Thorp Jr. Comme une exception à la règle, le fils du gros président ne trouve pas drôle du tout le spectacle auquel il vient d'assister. Il en profite pour trouver là une nouvelle raison de transpirer de frustration.

- D'accord ! Tu m'as eu, jeune frondeuse ! Bienvenue ! chuchote Tight dans l'oreille de sa fille.

Le Cigare s'esclaffe. Le champagne était prévu pour la bonne nouvelle et ils ont déjà tout bu !

- Gaston ! crie le président.

La petite mise au point

À leur sortie de la fête, Tight demande à sa fille si elle a oublié la raison pour laquelle il n'a jamais voulu l'aider dans son ascension professionnelle.

- Oui !... Non !... Pour m'enrager et me rendre plus combative. Et je t'ai toujours respecté pour cela ! répond Anic.

- J'avais l'air de quoi, moi ? se fâche son père, sachant pourtant à quel point sa colère est inutile et même un peu ridicule.

- Tu avais l'air exactement de ce que tu as bien voulu avoir l'air, mon cher papa ! En fait, tu as toujours voulu que je fasse ce que je viens de faire mais, pas avec toi dans les pattes ! N'est-ce-pas ? riposte Anic.

Tight sait bien que même son silence ne peut cacher une réponse affirmative.

- Tu ne trouves pas ça un peu opportuniste ? On dirait que tu as profité du moment ! réplique-t-il.

- Je t'en prie, appelons un chat un chat ! Ce n'est pas moi qui ai orchestré cette mise en scène ! Et puis tu n'avais qu'à ne pas accepter ! dit Anic.

- Mais pourquoi as-tu fait ça ? Devant tout le monde ! questionne-t-il.

- Hum ! Il ne m'est pas facile d'entrer chez toi, lui fait-elle remarquer.

- ... J'avais peut-être raison de ne pas vouloir que tu viennes à cette soirée de gala ! pense Tight, tout haut.

- Je crois que tu mens. Tu es bien content que j'y sois allée et que je retourne tes plans à l'envers ! objecte Anic.

- La question n'est pas là ! Je n'ai pas à... ne peut continuer Tight.

- Non papa ! Tu n'as pas à !... Tu n'as jamais voulu avoir à !... N'est-ce pas ? Avoir à traiter avec ta fille sur un plancher de travail ! coupe-t-elle.

- Écoute-moi, Anic ! Écoute-moi bien ! Que tu sois la superviseure du projet, d'accord ! Que tu sois mon assistante, d'accord ! Mais sache que je ne te laisserai aucune chance ! Je ne tolérerai aucune erreur. Même si tu es ma fille... surtout parce que tu es ma fille. Je serai impitoyable. Ce n'est pas parce que la négociation de tes deux derniers projets n'a pas fonctionné que ça te donne le droit de te jeter sur celui-ci comme...

- La négociation ? Parlons-en ! Tu veux dire le vol ! coupe-t-elle.

- Anic.

- Je me suis fait voler le projet du centre urbain sous dômes de verre par un maître vendeur, pour ne pas dire un maître chanteur ! J'avais tout prévu, Alex, sauf ça !

- C'est pourtant notre travail de tout prévoir, précise-t-il.

- Papa, mes plans étaient parfaits !

- Je sais. Lorsque tu m'as montré ton topo, je dois avouer que tout était magistral, unique. Tu as mené ces gens-là comme un véritable tyran. Même ton réajustement du budget leur a coupé le sifflet.

- Alors, pourquoi n'es-tu pas intervenu ? demande-t-elle, feignant d'ignorer la réponse.

- Ça, c'est un autre chapitre... Anic, tu as mené plusieurs projets vers le succès, tu n'as pas besoin de moi pour te défendre.

- Oui. Je sais. Je crois que tu m'as déjà expliqué ça.

- Ton besoin de réparer les injustices t'a peut-être fait rater une quelconque dimension, un détail.

- C'est... C'est toi qui dit ça ? s'étouffe presqu'Anic.

Il rit.

- Heureusement, je sais que lorsque tu es sur un plancher de travail, les autres ont intérêt à marcher au pas ! C'est qu'elle a de qui tenir ! termine Tight avant de s'engouffrer dans la limousine avec sa fille et d'ajouter...

- Tu as encore réussi à me déjouer, jeune perfide ! Tu sais que toi aussi tu vas avoir intérêt à marcher au pas ? Hum ?

- ...

L'étude des plans

Dans une grande salle, plusieurs architectes travaillent à leur table à dessin jumelée à un ordinateur. Ils se passent, de main en main, des croquis sur lesquels sont dessinés des parties du futur bâtiment sous-marin, pendant que quelques secrétaires et commissionnaires vont à droite et à gauche. Dans un bureau à l'écart de la grande salle, un maître ingénieur explique, à l'aide d'un tableau, comment on descendra les énormes pièces d'acier qui seront déposées à une distance précise autour de la proue de l'épave. Assemblées les unes aux autres, comme un casse-tête à trois dimensions, ces pièces serviront de murs puis de certaines parties du toit. Elles seront enfoncées suffisamment profond dans le fond marin pour créer une cloison étanche naturelle et permettre d'assécher le sol lors d'une étape ultérieure. L'épave du *Titanic* demeurera donc sur son sol naturel mais au sec.

- Je vous fais grâce d'une multitude de détails pour vous dire qu'ensuite seront ajustées les énormes baies vitrées qui s'ajouteront aux flancs et au toit du bâtiment. L'environnement immédiat du musée étant éclairé, ces baies vitrées nous donneront l'impression, et c'est là l'effet majeur recherché, qu'on est nous-mêmes dans l'eau, explique le maître ingénieur.

Alex Tight passe d'un plan à l'autre à l'aide de sa fille et félicite tout le monde. Il signale qu'il fera une étude approfondie des plans pour en discuter avec son équipe et donnera une approbation officielle dans un délai respectant l'urgence du projet.

Devant son équipe, Tight commence son intervention avec une mine très sérieuse, question de, peut-être, s'impressionner lui-même. À peine a-t-il amorcé la discussion sur les plans, qu'il quitte la salle de conférence et laisse sa fille terminer la rencontre. En l'absence de l'ingénieur-chef, l'ultime réunion du comité des ingénieurs-consultants en systèmes de sécurité architecturale se termine mais Anic argumente encore et de façon très animée avec quelques-uns des assistants. Elle veut encore entendre de leur part que ce bâtiment sous-marin sera robuste, bien assis, sans faille et que jamais, ni la pression de l'eau, ni la corrosion, ni le temps ne l'ébranleront. Elle-même semble tout à coup dérangée, déstabilisée. Comme si quelque chose d'agaçant, de froid lui touchait l'épaule. Tous la regardent, un peu déroutés.

- Quelles objections voulez-vous qu'on apporte aux architectes, au juste ? Faut-il, comme dans les bonnes vieilles basiliques, ajouter des colonnes ? demande un assistant.

- Messieurs, s'il y a une chose que je voudrais éviter, c'est bien d'imposer des colonnes qui, bien que peut-être utiles, viendraient briser toute l'audace architecturale du musée de ces messieurs ! rétorque Anic, se ressaisissant.

- Les architectes seraient heureux de vous entendre ! émet un autre ingénieur.

- Ils n'ont peut-être pas tout entendu ! dit Anic.

- Vous me faites peur ! lance un troisième assistant.

- Que voulez-vous dire ? Nous savons qu'il y a urgence à donner une réponse et que la compétence des architectes n'est pas remise en question. Que voulez-vous mettre en doute, exactement ? Le projet ou notre société ? relance un assistant.

- Vous... avez un doute ? questionne un autre, confus.

- Vous savez tous autant que moi que la conception de cette structure ne comprend aucune faille, aucune faiblesse. Cependant, mes chers amis, connaissons-nous vraiment la puissance des éléments naturels qui se trouvent à près de cinq kilomètres de profondeur ? énonce Anic.

- Euh, oui ! Tous les calculs possibles ont été faits et refaits ! souligne un assistant.

- Oui... Et cela, sans doute, nous garantit de connaître maintenant ce qui se passera à cette profondeur au bout d'un an, cinq ans, dix ans, cent ans, défie Anic.

Silence.

- Je ne sais pas, moi. Supposons que l'on propose aux architectes de doubler l'épaisseur des pièces de la structure, avance-t-elle.

- Impossible ! lance un assistant après un court temps de réflexion.

- Voilà ce qui m'inquiète ! se dit Anic.

- Et inutile ! Le transport et la descente des matériaux au fond de l'eau deviendraient infaisables, continue l'assistant.

- Ils sont déjà trop lourds, conclut vainement Anic.

Tous la regardent en se demandant un peu où elle veut en venir.

- L'envergure des pièces pourraient être réduite, alors ! relance-t-elle, sachant que ce qu'elle vient de dire est nul.

- Impossible ! Et je pense que vous serez d'accord avec moi. Le travail d'ajustement des pièces, au fond de l'eau, est déjà fort complexe. Pas question de le compliquer davantage. L'assemblage se fera par méthodes robotisées. C'est là le plus grand risque du projet. Le plus grand défi. Durant cette étape, aucun homme n'ira faire de travaux à cette profondeur. Pas avant que le bâtiment ne soit étanche. Dès lors, on pourra le vider de son eau et faire le plein d'air et d'oxygène. Avant cette étape, tous les travaux sont contrôlés depuis la surface et supervisés depuis le continent par téléviseurs et méga-ordinateurs. Ce sont les chercheurs de la NASA qui travaillent depuis cinq ans à la conception de toute la logistique. Ils refuseront de tout reprendre à zéro. Si jamais ils acceptaient, c'est d'au moins cinq autres années qu'il faudrait retarder la fin du projet, reprend l'assistant.

- S'il n'est pas tout simplement annulé, ajoute un autre.

- Exactement ! Écoutez mademoiselle, nous pourrions argumenter durant des jours encore ! Revoir tous les plans, refaire tous les calculs, prévoir tous les impossibles, tous les imprévus. N'oublions pas qu'après toutes ces étapes, maintenant complétées, nous avons déjà approuvé l'édifice tel qu'il est proposé. Autrement dit, sauf votre respect, même en recommençant tout à zéro, est-ce que cela... enfin... serez-vous vraiment rassurée ? élabore et questionne l'assistant.

Silence.

- Mademoiselle, il n'y a pas de faille. Ces murs sont déjà deux fois et demie plus forts que nécessaire pour résister à la pression que l'eau leur imposera, ajoute-t-il sans vouloir brusquer Anic.

- On ne peut pas rejeter le travail déjà fait pour une simple appréhension, ajoute un autre assistant tout aussi débordant de respect pour Anic.

- Vous avez raison. Ce n'est... qu'une intuition, admet Anic, gênée.

- Alors, croyez-vous vraiment qu'il faille reprendre les travaux d'approbation ? Je crois plutôt que, et tous ici seront d'accord avec moi, ce doute est tout à votre honneur, mademoiselle Tight. Il ne reste qu'à donner le feu vert. Qu'en pensez-vous ? questionne l'assistant.

Très stoïque, candide, Anic ne dit rien, ne peut rien dire.

- Non ! L'unique raison pour laquelle nous sommes ici, c'est pour prendre en considération le doute de qui que ce soit et de travailler en sorte qu'il n'existe plus ! sermonne Alex Tight, entrant dans la pièce.

- Mais pour des raisons que nous avons énumérées plus tôt, la modification de certains éléments serait beaucoup trop considérable, réplique un assistant.

- Il n'y a aucune modification trop considérable lorsqu'il s'agit de sécurité ! Répétez-moi un argument de ce genre, monsieur Bleau, et ce sera la dernière fois que nous nous serons parlés ! lui lance l'ingénieur en chef.

Monsieur Bleau se rassoit, soumis.

- Le projet est si audacieux, si laborieux que vous n'osez même pas ne pas lui faire confiance ! Vous n'émettez aucun doute, ou presque. Vous faites confiance aux architectes, ce qui n'est pas un mal en soi, bien sûr, mais notre travail consiste à les mettre en doute, justement ! Ce musée est probablement parfait mais s'il comporte une faille, une seule faille, nous devons la trouver ! Et quand on ne la trouve pas, on doit presque l'inventer. Et vous en arrivez à la conclusion, dans ce cas-ci, que c'est mademoiselle qui a raison ! Il faut additionner de colonnes ! Trois dans la grande salle, deux dans l'atrium qui... l'ingénieur en chef ne peut continuer.

- Euh... Non, papa !... interrompt Anic.

- Comment ça, non ? Explique-toi ! demande Tight, qui déteste se faire appeler papa devant tout le monde.

- Parce qu'on ne peut pas demander à un fauve de ne pas être racé ! Écoutez, cet espace est magnifique et unique au monde. C'est lui notre réelle vedette. On ne va pas le corrompre avec... des colonnes ! explique Anic.

Son père est sidéré.

- Je crois qu'il faut modifier, je crois qu'il faut consolider. Mais, pas avec des colonnes ! objecte-t-elle.

- Alors comment ? demande son père.

- Je ne sais pas ! sourit Anic.

La polémique reprend de plus belle entre tous les ingénieurs. Anic quitte la pièce accompagnée de deux de ses assistants.

Il pleut le jour suivant. Anic se retrouve devant ses dessins avec quelques croustilles. Quatre de ses assistants travaillent à ses côtés. Tous sont très concentrés sur leurs croquis. Alors qu'Anic travaille sur un dessin représentant l'intégral du musée, un assistant superpose un autre dessin sur celui d'Anic. Le dessin de l'assistant représente une énorme arche à l'idée rectangulaire, faite d'acier, et qui vient coiffer le musée, un peu comme une grossière auréole. La moitié des simples traits ou barres perpendiculaires et obliques qui se trouvent sur la planche d'Anic, s'ajuste et relie le musée à l'énorme arche. Un autre assistant superpose son dessin sur les deux premiers. La structure qu'on y voit ressemble, à peu de choses près, à la précédente. Énorme arche rectangulaire en acier qui relie aussi le musée du dessin d'Anic par l'autre moitié des barres perpendiculaires et obliques qui, en fait, seront de puissants câbles d'acier. Joie. On a trouvé. Anic a eu raison de douter. L'édifice pourra maintenant être renforcé de façon à lui permettre de résister, non pas à deux fois et demie la pression de l'eau ambiante, mais bien à presque six fois cette pression et ce, en ne changeant rien aux plans originaux. Ces derniers seront respectés, la sécurité aussi. Car bien que l'édifice prenne pied, donc sa solidité, par le fond marin comme prévu à l'origine, on utilisera le principe de ce bon vieux pont, le *Golden Gate* de San Francisco et de tous ses homologues, pour augmenter sa résistance. Le musée du *Titanic* sera, en quelque sorte, suspendu. Suspendu ou retenu de tous bords, de tous côtés par des câbles d'acier reliés à deux énormes arches rectangulaires qui surplomberaient l'édifice tout entier. Qu'en dira le père d'Anic ?

L'ingénieur-consultant-chef en systèmes de sécurité de mégastructures architecturales termine fièrement une conférence devant les architectes du musée. Il vient de proposer les derniers ajouts structuraux. Certains architectes contestent mais très mollement. Cette rapide soumission est dûe à la réputation de Tight, bien sûr, mais surtout à la présence de financiers qui, bien que voyant leur budget s'alourdir, donnent leur appui inconditionnel à l'ingénieur-chef. Alors que le mouvement de groupe pour quitter la salle s'amorce, le président Louis Thorp Sr. vient s'adresser à l'ingénieur-chef.

- Je suis impressionné, monsieur Tight ! Dites-moi, vous êtes bien certain que ces nouvelles structures sont indispensables ?

L'ingénieur le regarde d'un air qui semble dire: «Est-ce une question sérieuse ou une blague ?» Thorp Sr. éclate de rire.

- Mes félicitations, monsieur Tight ! Je savais que vous étiez l'homme de la situation ! lance le Cigare en guise de fausses excuses.

- Oh, ce n'est pas entièrement moi, monsieur. C'est surtout ma fille qui en est l'auteure. Anic voulait une sorte de sortie de sécurité permanente. Que voulez-vous, elle veut tenir la main de tous ceux qui descendront, reprend l'ingénieur-chef.

Thorp Sr. tourne les talons et s'en va, accompagné de son rire gras. Avant qu'elle ne disparaisse à son tour, Tight pose la main sur le bras de sa fille et dit:

- Toi, je me devais de te mettre au défi, mais là... j'avoue que tu marques un point !

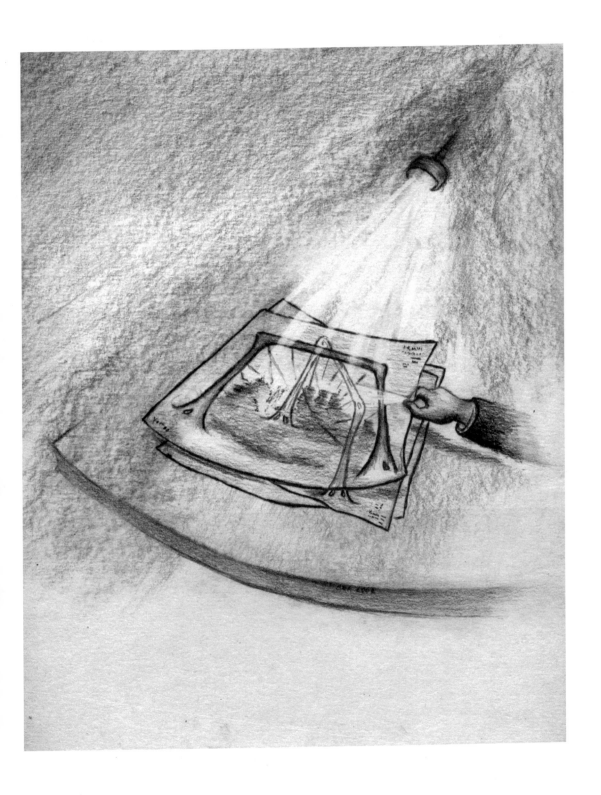

Confection et transport des pièces

Le superviseur du chantier de construction terrestre, un personnage brusque, est au pied de l'une des énormes pièces d'acier aux formes inquiétantes qui seront utilisées pour les premières parois extérieures du musée sous-marin. Sous la pluie, il explique pour la télévision que la confection des premières sections est terminée et que l'on se prépare à embarquer ces pièces sur des mastodontes-remorques (de gigantesques remorques que supportent douze véhicules ressemblant à des bulldozers) pour les mener à la mer. Très lourdes et assez imposantes, ces pièces, qui ressemblent à des monstres endormis et mal dessinés, obligent les remorques à rouler très, très lentement sur la route.

On retrouve plusieurs pièces d'acier, plus ou moins semblables, sur l'un des cinq plus longs trains maritimes rarement utilisés pour de tels transports. Chacun des trains est constitué de quatre plates-formes remorques flottantes, presqu'aussi longues et larges qu'un terrain de football. Leur départ se fait à intervalles irréguliers pour des raisons évidentes: les difficultés inhérentes au débarquement de pièces en plein océan. Ces plates-formes flottantes peuvent naviguer aussi bien par temps calme que par tempête, grâce à leur énorme poids et leur largeur imposante.

La construction

Arrivées à destination, les pièces sont attachées à des grues flottantes puis descendues au fond de l'océan à l'aide de puissants câbles de plus de quatre mille mètres de longueur. Après une descente d'environ trois heures, la base dentée de la première partie du futur mur est entièrement enfoncée dans la vase. Ces dents, longues d'une cinquantaine de mètres, sont suffisamment profondes pour offrir l'étanchéité nécessaire dont le sol aura besoin pour sécher, une fois l'agencement des murs terminé. C'est avec l'ajustement de la deuxième paroi que le défi commence. En plus de la poser au bon endroit, elle doit s'ajuster au millimètre près à la paroi déjà en place. Cette opération, à elle seule, peut prendre jusqu'à trois heures. Il faut placer à l'endroit prévu sans manquer son coup. Heureusement, à cette profondeur, même si tous les éléments naturels jouent contre les opérateurs, il y a peu ou prou de courant. S'ils se mettent de la partie, il faut interrompre les travaux. Caméras et robots sous-marins exécutent un travail parfait mais obligatoirement lent. Aucun homme, à moins d'inspections exceptionnelles en submersible, ne descend exécuter quelques besognes au fond de l'abysse. Deux cent soixante-douze pièces, de la taille d'édifices variant de trois à douze étages, doivent être mises en place. Cette première étape demande, à elle seule, un peu moins de vingt mois. Chaque pièce descendue et ajustée est une source d'angoisse très vive pour Anic qui supervise tout le travail sur moniteurs depuis les postes d'observation de surface.

- Tout semble bien aller ! lui communique le maître d'oeuvre.

- Bravo à tous ! transmet Alex Tight qui ne manque rien des opérations depuis le continent.

Si, à chaque opération, tous ont l'impression d'en être à l'ultime défi, à «la» manoeuvre de pointe, c'est avec un mélange de plaisir et de salive amère qu'ils le perçoivent de façon plus intense au moment de faire descendre puis d'installer les grandes verrières. Ces pièces uniques, véritables sculptures de verre, combleront les grandes ouvertures des murs et plafonds pour en faire de gigantesques baies vitrées. Elles feront la splendeur et la fierté du musée, lui donnant, en grande partie, sa signature architecturale. Bien que ces verrières soient composées d'une matière solide, elles demeurent très fragiles à manipuler. Après avoir travaillé avec toutes ces pièces gigantesques, le défi suivant, immédiat, réside en un travail de minutie, c'est-à-dire à l'intérieur d'un espace de huit centimètres carrés, toujours commandé depuis une distance de plus de quatre kilomètres. Ajuster du verre à de l'acier et ce, dans l'élément liquide par surcroît, relève déjà de l'impossible. Une petite fête au champagne invite à célébrer la fin de l'assemblage de toutes les parois extérieures du musée. Elle précède de quelques jours l'arrivée des hélicoptères qui guideront, au moyen de câbles, le début de la descente des huit composantes qui formeront les deux arches géantes, servant à fortifier, par les côtés et par le haut, l'ensemble du musée. Cette fois, trois grues sont nécessaires pour freiner la descente des membres des arches. La manipulation de grosses pièces, c'est leur affaire. Les résultats sont prévisibles et sûrs. Fait étrange, une fois les deux arches de sécurité assemblées de ses huit pièces ou membres, le musée sous-marin semblera avoir doublé de volume. La démesure fait partie du travail de l'équipe; tous en sont conscients. Attacher les puissants câbles qui retiendront le musée aux fameuses arches mises en place ne suscite plus d'inquiétude. Non, bien que loin d'être négligeables, ils ne redoutent pas ces manipulations. Non plus ce travail de mains de géants à une distance de géant, travail de doigts de fée toujours à une distance de géant. Ce qu'on appréhende maintenant, c'est l'étape suivante. Étape décisive: l'on arrête tout ou l'on continue. Mais, certains mariages entre architectes et ingénieurs relèvent du génie.

Le musée, maintenant étanche, sera vidé de son contenu liquide. L'eau sera éjectée par des valves à sens unique puis remplacée par de l'air. Ce processus se divise en quatre étapes de soixante-douze heures chacune. Chaque centimètre cube d'air injecté à l'intérieur du musée provoque des moments de joie à la surface. Chaque centimètre cube d'air injecté confirme peu à peu la solidité de l'édifice qui, désormais, veut prendre vie sous l'épaisse couche d'eau.

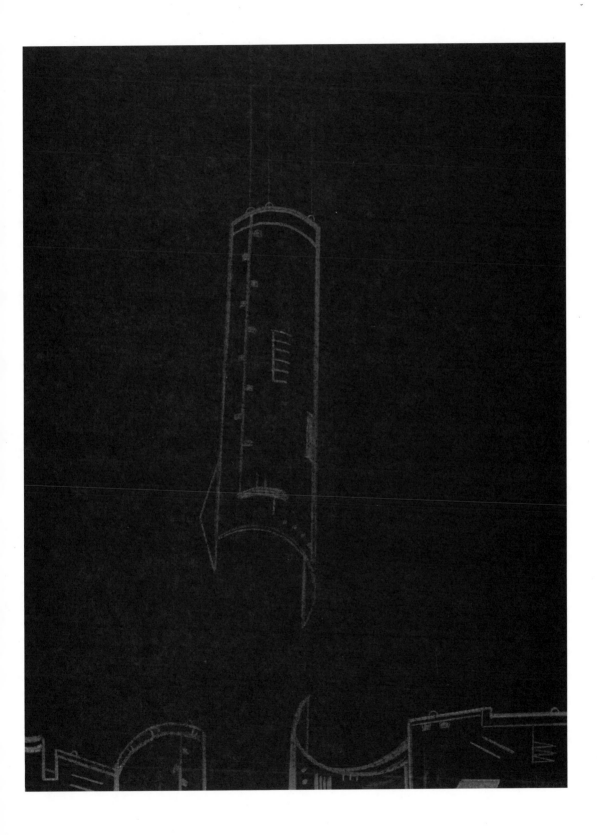

La première vision

La peur s'installe maintenant dans les entrailles d'Anic. Elle accompagnera la première équipe à descendre afin d'inspecter les lieux. À titre de responsable de la sécurité architecturale du projet, et aussi parce que tous l'aiment bien, elle sera invitée à être la première à fouler le sol du nouveau musée. Bien qu'elle ne vive, en grande partie, que pour l'accomplissement de cet événement, Anic ne s'attendait pas à ressentir une telle anxiété donnant l'impression que le coeur vient de multiplier son rythme par quatre. Cette anxiété, ce trac, bien des comédiens le connaissent au moment de monter sur les planches et se disent: «Il s'agit de ne pas rater mon entrée !» Anic aura, de plus, l'honneur de transmettre les premières images télévisées, grâce à une petite caméra ajustée juste au-dessus de son oreille.

La lente descente s'amorce dans un submersible expérimental temporaire qu'on appelle l'ascenseur parce qu'il est relié à la surface au moyen de quelques câbles. Les submersibles qui serviront à descendre le public, environ trois cents personnes à la fois, seront construits plus tard. Pour le moment, il n'y a pas de hublot. Seuls deux faibles plafonniers et les trop pâles lumières de quelques petits cadrans empêchent Anic et ses quatre nouveaux collègues d'être dans le noir complet. C'est la radio qui guide le petit ascenseur et décrit son évolution vers le bas. Ils descendent. Deux longues heures puis, ils ralentissent.

- Quels sont ces bruits bizarres ? se demande un des hommes, presqu'avec le sourire.

Le courant est interrompu et c'est le noir total. Total parce qu'on a reçu la consigne d'économiser les lampes de poche que l'on porte sur soi. L'ascenseur s'immobilise brusquement. Il n'y a que les bruits qui ne prennent pas de pause. Ils ressemblent à un mélange de lamentations organiques, métalliques et lointaines. Lointaines mais puissantes, leur semble-t-il. Tout architecte et ingénieur qu'ils soient dans cette cabine immobilisée, les bruits sont impossibles à identifier.

- Iiiiiiiiiii... Trrr... Krrr... et n'allumez pas vos lampes ! Il y a... fffffftt... vvvvrrr... ! les informe la radio.

- Bravo ! Nous voilà bien avancés, lance Anic dans le noir.

- Je crois qu'ils ont dit de ne pas allumer nos lampes. C'est donc qu'ils savent... ils contrôlent la situation, là-haut ! rétorque un autre.

- Sûrement que...

Puis l'ascenseur est animé de violentes secousses. Cela se répète et ne semble plus vouloir s'arrêter.

- Mais... mais on remonte ! Nom de Dieu, on remonte ! crie le plus jeune.

Marquant le premier son impatience, l'un des membres de l'équipe saisit la radio pour tenter de demander à quoi on joue, exactement ?

Et tout s'arrête d'un coup. Mouvements et bruits, plus rien.

- Mille pardons, en bas ! Petite erreur d'aiguillage ! On reprend la descente ! Désolé ! informe la radio, insolente.

- Mademoiselle Tight, il est rare que je veuille me retrouver à la place de quelqu'un d'autre, mais cette fois-ci, je jalouse sans fausse honte votre rôle d'éclaireur, lui avoue le plus jeune.

- Oui. Je reconnais qu'à part ma gorge qui est de plus en plus sèche, c'est un privilège d'être la toute première à mettre les pieds dans cet édifice sous-marin, lui répond Anic.

Immobilisation finale. La petite porte va s'ouvrir.

- As-tu vérifié le degré d'oxygène ? demande l'un.

- Ah oui, j'oubliais ! répond un autre.

Sortie de l'habitacle, comme on sort tout simplement d'un autre univers, l'équipe se retrouve dans une curieuse pièce vulgairement ronde, petite et sans intérêt si ce n'est qu'elle se trouve au sommet du futur musée. Bien qu'ils sachent exactement où ils se trouvent, tous regardent parois et plancher comme s'ils étaient couverts de petits diamants. Pourtant, ils n'y voient que des murs aux formes inhabituelles, apparemment noirs et ruisselant de petites gouttes d'eau, vu l'extrême humidité de cet endroit où climatisation et courants d'air artificiels ne sont pas encore installés. Ils cherchent l'orifice. Celui-ci est relié à des encavures gravées dans la paroi d'acier, servant d'échelle par laquelle ils devront descendre jusqu'à l'un des secteurs importants. Le jeune homme trouve l'emplacement de l'orifice. Il regarde dans ce trou où il fait un noir si noir qu'on ne distingue absolument rien à deux mètres vers le bas. En lui-même, il regrette d'avoir envié le rôle d'éclaireur privilégié revenant à Anic.

- Mademoiselle Tight ! J'ai trouvé ! C'est ici ! crie-t-il.

Elle accourt. Anic, voyant bien les traits du visage trahir la pensée de son jeune homologue, amorce la descente.

- Attention, tout est très humide ! C'est très glissant ! la prévient un autre qui s'amène.

Tous la regardent descendre dans le gouffre obscur et, avant qu'elle ne disparaisse complètement, s'empressent de la suivre. Durant leur descente, ils ne savent pas vraiment s'ils meurent de peur ou crèvent de plaisir. Chose certaine, ils ne donneraient leur place pour rien au monde.

- J'aperçois la lueur de la grande salle ! On arrive ! informe Anic.

Lueur qui provient des puissants phares faisant partie intégrante des supers structures extérieures, retenant tout le musée.

- Décidément, ces structures sont indispensables ! respire Anic.

Les énormes baies vitrées, occupant une bonne partie des parois de l'édifice, surtout dans la grande salle, permettent à la lumière de pénétrer, ce qui est suffisant pour évoluer en attendant que soit installé l'éclairage intérieur. Que soit installé tout le reste, en fait. Car pour le moment, sans toutes les commodités modernes qu'on y installera, l'intérieur du bâtiment ressemble davantage à une crypte métallique et sombre qu'à autre chose. Pour en revenir à ces structures extérieures, elles sont tellement massives, qu'on peut y circuler d'un bout à l'autre par de petits corridors intérieurs. De ces structures, on aperçoit toute la superficie du musée et grâce à elles, il ne sera pas nécessaire de faire l'inspection extérieure en submersible mais bien à pied comme cela se fait depuis toujours dans les immeubles à la surface de notre bonne vieille terre. Continuant toujours à descendre avec une hâte risquée, Anic n'a pas le temps de s'auto-congratuler très longtemps que les phares extérieurs, justement, s'éteignent. Panne d'électricité. Décidément, il y a tout pour se sentir à l'aise, ici. Comme chez soi.

- C'est encore une blague, ça ? Que se passe-t-il ? lance une voix masculine.

- Gardez votre calme ! Continuons à descendre ! Il n'y a pas autre chose à faire ! ordonne Anic, qui n'est pas le patron dans cette expédition.

Une étrange impression s'empare maintenant de toute l'équipe. Il y a une présence nouvelle. Autour d'eux. Tout près. Et très loin aussi. Ils ont beau regarder tout autour, à part la paroi lugubre sur laquelle ils évoluent vers le bas, il n'y a rien. Ils ne voient rien. Rien que le noir. «Et ces damnées lampes de poche qui éclairent deux fois rien !» Mais, la réponse est là, justement. Car sans qu'ils ne s'en soient aperçus, à cause de l'obscurité, c'est l'immensité du vide ambiant qui les accompagne depuis quelques secondes. Premier objectif atteint. Ils sont dans la grande salle. La longue descente encore à faire paraît courte maintenant.

Anic met finalement le pied à terre. Pour fêter ce moment, elle voudrait bien battre tambours et trompettes mais trop d'éléments inexplicables figent son corps.

- Si seulement on voyait quelque chose ! grogne-t-elle, à voix basse.

Et elle a bien raison de grogner car les premiers pas anticipés dans cet autre monde se veulent beaucoup moins romantiques qu'ont pu l'être ceux du premier homme sur la lune. Neil Amstrong ou Tintin n'eurent pas à marcher dans une vase épaisse et dangereusement inégale. Elle a posé le pied mais l'exploration se termine là, pour le moment. Quand on est dans le noir, il est facile d'imaginer qu'on est entouré de trous et qu'on risque d'y tomber au moindre mouvement. On les voit presque. L'exploration doit toutefois se poursuivre, ne serait-ce que pour trois pas encore, afin de faire un peu de place à ses camarades si elle ne veut pas qu'ils lui descendent sur la tête. Contrainte à ce petit mouvement, elle constate qu'en deçà de dix ou douze centimètres de cette vase, presque de l'eau, le pied tient bon. Et chacun y va de son petit rapport plus ou moins poétique à mesure qu'il touche le sol.

- ... Qu'est-ce que c'est que ça ? réagit le premier à rejoindre Anic.

- Je ne sais pas. On dirait une énorme bosse, un dos, quelque chose, répond-elle.

- Merde, on ne voit rien ! commente le deuxième.

De savoir qu'ils sont arrivés dans la grande pièce, de ne rien voir, tout leur donne la certitude que quelque chose de gros et de malveillant va les avaler dans un instant. Ils sont presque collés à ce mur qu'ils viennent de descendre et juste à côté, c'est le néant, le vide. Noir. Ils savent très bien ce qui s'y trouve et c'est ce qui leur donne froid dans le dos, justement. Ils savent qu'il est là, lui, le *Titanic*. Même le mur semble respirer l'effroi lorsqu'ils y ramènent leur lampe de poche afin de se redonner ce brin d'équilibre imaginaire dont ils ont vraiment besoin.

- Comment se fait-il qu'on ne voit rien ? Ces lampes de poche sont de véritables risées ! Elles ne balaient pas plus loin que quelques mètres ! geint celui qui est le plus près d'Anic.

- Je ne comprends pas ! Les lumières extérieures devraient être allumées ! On profiterait au moins de la lumière semblable à celle d'une sombre journée nuageuse, lui dit-elle.

- Qu'est-ce qu'on fait, maintenant ? demande le plus jeune.

- Je ne sais pas ! Il faut attendre !

Et ils attendent.

- Bon ! J'avance ! Il ne peut pas être loin ! Vous autres, restez ici ! Ça me donnera un point de repère ! Vous, venez avec moi ! termine-t-elle, ne sachant pas trop à qui elle vient de s'adresser, mais peu importe, son message est clair.

- Demeurez toujours ensemble afin qu'on puisse voir vos lampes ! suggère à Anic, une des voix du groupe stationnaire. Probablement le chef.

Ils avancent. Les yeux sont maintenant habitués à la grande obscurité. Pour quel résultat ? Nul. Ils distinguent une aire devant eux, un sol très inégal parce que parsemé de buttes de terre molle et de très grandes flaques d'eau. Ce n'est que lorsque son partenaire se retourne vers les autres hommes pour leur crier un quelconque signal qu'Anic constate que c'est le plus jeune qu'elle a désigné pour l'accompagner. Déjà loin du groupe, il entend mais comprend mal les réponses. Le jeune homme s'immobilise pour tenter d'avoir une meilleure communication. Anic continue. À ce moment, il ne manque qu'une lourde et lente respiration pour convaincre Anic que la masse un peu moins noire qui veut se dessiner devant elle est un dragon endormi.

- Nom de Dieu ! Est-ce lui ? crie-t-elle faiblement à son compagnon, espérant de lui une réponse au-dessus de ses compétences du moment.

Occupé qu'il est à tendre un lien avec l'autre équipe, le jeune homme ne voit pas qu'Anic continue sa marche, seule. Cette forme massive, grise, semble bouger et se retourner vers elle pour la regarder. Mais il n'en est rien. C'est encore l'imagination qui travaille. L'imagination aidée de... lui ? Lui ? Il serait là, lui ? Le *Titanic* ?

- M'approcher encore pour mieux le voir ! se dit-elle.

Elle cherche à défaire la courroie qui retient sa lampe de poche afin de la prendre en main pour mieux la diriger et tenter d'avoir un peu plus d'éclairage vers le mystérieux objectif. Son pas s'accélère alors qu'elle est complètement aveugle pendant la petite manoeuvre d'ajustement de la lampe.

- Nous n'avons pas d'image ! Mademoiselle Tight, ajustez votre caméra, s'il vous plaît ! Nous ne recevons aucune image... Tsssrt ! lui communique-t-on de la surface.

- Aucune image ! Non mais qu'est-ce qu'ils croient que je suis en train de fabriquer ? Ils ne perdent pas le nord, ceux-là ! s'indigne Anic qui arrache la petite caméra de sa tête pour, à contre-coeur, tenter de l'ajuster mais, l'échappe au sol. Tant pis.

Les phares extérieurs ne se rallument toujours pas. Au risque d'être complètement immergée dans la vase, elle avance... Puis, c'est l'excitation. Elle crie sa joie.

- Je crois que je le vois ! Il est...

Le cri d'Anic est interrompu. Elle a omis certaines petites règles de prudence: comme de rester ensemble, de ne pas marcher trop vite. Et c'est l'accident. Elle tombe dans ce qui ressemble à du sable mouvant. Une vase non mouvante mais qui l'entraîne vers le bas. En un dixième de seconde, elle en a par-dessus la tête. Et ça l'entraîne toujours vers le bas. Elle a le temps de se comparer à l'astronaute qui flotte dans l'espace, ne sentant rien sous les pieds. Et les crétins, à la plate-forme de surface, qui l'appellent encore pour lui demander d'imbéciles images. «Qu'ils viennent me chercher à la place, bande d'idiots !...» voudrait-elle leur crier. Elle continue à descendre, à s'enfoncer. N'eut été que ses pieds touchent enfin quelque plancher, quelque fond, elle allait vers une mort certaine. Mais pour ce qui est de remonter; impossible. De nager; impossible. Rapide d'esprit, elle se retourne sur elle-même et tente de marcher, de revenir sur ses pas. Le rebord surélevé où elle se trouvait avant de tomber, ne doit pas être loin. Elle marche, très difficilement, dans sa totale enveloppe vaseuse. Encore une fois, l'imagination est vedette et lui permet de voir une espèce de bord de lac ou de rivière, le désir d'y arriver étant tellement puissant. Mais, bien que l'imagination exagère, elle a tout de même raison et c'est presqu'avec autant de facilité que de gravir un escalier d'une dizaine de marches, les bras chargés d'une trop grosse commande d'épicerie, qu'Anic sort de son indésirable piscine bourbeuse. Puis, épuisée, elle demeure à demi-étendue au sol. Sa radio, qu'elle n'a jamais utilisée, est foutue. Le jeune homme, lui, n'a rien vu. Il n'est plus là. Elle se rappelle qu'elle n'a jamais eu le temps de prendre une bonne inspiration avant le petit séjour dans la boue. Elle n'a pas terminé cette pensée que quelques-uns seulement des phares extérieurs se rallument. La vision feutrée de l'intérieur du bâtiment lui donne un choc. Car bien qu'elle en connaisse les moindres recoins sur les plans, elle se demande si tout d'un coup elle n'est pas devenue une sorte d'exploratrice fantastique engagée dans un voyage au centre de la terre. Puis, le coeur d'Anic demande à s'arrêter complètement de battre. Sa respiration se bloque aussi brusquement que lorsqu'elle était privée d'air dans sa chute, il y a quelques secondes. Tout juste assez éclairé pour en apercevoir parfaitement la silhouette, il est là. Debout. Majestueusement mort. Monument des monuments.

Égal à lui-même. Le *Titanic*, qu'elle croyait tout près, est là-bas, à une centaine de mètres d'elle. Anic a la puissante certitude que feu le navire la regarde en plein dans les yeux. Il lui donne l'impression d'être vivant, de la regarder, elle, personnellement. Elle l'entend lui dire: «Mais que venez-vous donc faire ici ?» Cette sensation s'imprègne jusque dans ses os et est accompagnée de la certitude que ses quatre camarades ne sont plus là. Qu'ils sont disparus. Qu'elle va devoir régler ses comptes, seule, avec le fantôme rejoint. Anic veut mourir, tellement l'épouvantable image frappe dur. Ses yeux, sa peau, son sang, son esprit, bref, tout son être est figé par l'épave. Épave vivante. Célèbre. Anic se retourne pour crier aux autres... crier, elle ne sait trop quoi. Elle aperçoit faiblement, car il y a un peu plus de lumière maintenant, le jeune homme à mi-chemin entre elle et les autres membres du groupe. Le jeune homme reprend contact avec Anic et vient la rejoindre. Après l'avoir aidée à se remettre sur pied, ils sont, l'un et l'autre, complètement hypnotisés par l'ensemble du spectacle. Les trois autres membres de l'équipe les rejoignent enfin. Cinq bouches grandes ouvertes assistent au spectacle le plus marquant de toute leur vie. L'Histoire elle-même figerait devant cette vision.

- Messieurs, allons voir ça de plus près ! Que quelqu'un se prépare à déplier le pneumatique. Il semble impossible de contourner toute l'é-pave à pied. Il y a beaucoup d'eau, recommande Anic sans vraiment se rendre compte qu'elle vient de parler.

Comme un groupe serré de cinq petites fourmis avançant lentement vers un vieux soulier, l'équipe s'approche du *Titanic* jusqu'à pouvoir le toucher. Pour en faire le tour complet, il faut utiliser le pneumatique puisqu'il est impossible de s'assurer rapidement des composantes et de la profondeur de l'eau des mares qui l'entourent. Et, plus tard:

- O.K. ! La recréation est terminée ! Nous avons plusieurs rapports à faire pour ces messieurs qui viendront entreprendre les constructions intérieures. Allons-y ! À l'ouvrage ! propose un des hommes.

Bien que d'accord, l'équipe demeure encore longtemps les yeux vissés à l'épave.

L'inauguration

Tel que prévu, au bout d'un peu moins de trois ans, le musée est terminé et prêt à recevoir ses premiers visiteurs. La plate-forme d'accueil, à la surface de l'eau, n'est pas encore terminée. Son squelette d'acier laisse facilement deviner la forme ovale du futur édifice de neuf étages, ressemblant vaguement à une grosse cheminée de navire. Un premier groupe de trois cents visiteurs attend de prendre place à bord du fabuleux submersible pour la descente inaugurale. En deux autres convois, six cents personnes suivront à leur tour, plus tard dans la journée. Ce submersible à huit ponts ressemble à un cornet de crème glacée, argenté, pointu vers le bas. Au sommet, une grosse boule de verre ambre et transparente. En lettres rouges, le mot *Coca-Cola* se déplace à l'intérieur de cette boule luminescente en un mouvement circulaire, un peu comme un poisson dans son bocal. Luxueux. La descente s'amorce. Anic, qui aime rassurer tout le monde, comme son père l'a remarqué depuis la conception du projet des superstructures de soutien, calme les angoisses de ceux qui descendent dans un univers qui leur est totalement inconnu en les accompagnant sur bande vidéo. Elle leur raconte l'historique de la conception du musée, leur décrit l'environnement dans lequel ils se trouvent et, bien sûr, leur fait un topo rassurant sur l'ensemble du séjour. Sa position lui permet de s'acquitter parfaitement de cette tâche qu'elle a acceptée avec plaisir. La longue descente n'a, en elle, rien d'excitant. C'est lorsque les passagers aperçoivent les lumières et le musée lui-même que les coeurs commencent à accélérer. Il est tellement vivant, au fond de cet abysse, que là, vraiment, le bouleversement commence. Reliées à toutes les tiges d'acier qui retiennent le musée, les arches lumineuses donnent à l'ensemble un air de mante religieuse géante qui protège son petit contre les intrus. Le hall d'entrée, dans lequel les premiers visiteurs sont accueillis, est un mélange de grandeur et d'humour. Une statue représentant un homard géant de six ou sept mètres, grossièrement sculptée, debout sur sa queue, regarde tout le monde, avec un sourire en guise de bienvenue. Le film sur lequel apparaissait Anic à l'intérieur du submersible, est tout simplement en continuité sur d'autres écrans, dans le hall. Pas très loin, on remarque un mini bar recouvert d'un auvent qui ressemble à la coque du *Titanic* dans une version bande dessinée. Tout est magnifique, neuf, somptueux. Anic termine son discours en proposant de suivre les guides qui commenceront par conduire les visiteurs à la réception afin de régler l'installation à la chambre d'hôtel, dans le but de jouir le plus rapidement possible de leur bref séjour de trois jours sous l'océan. Ce sont les Walt Disney et autres grands inventeurs du passé qui, dans leur tombe, doivent regretter de manquer cet événement. Après trois heures d'inaction, le moment est venu de se délier les jambes. Les visiteurs en fauteuil roulant, pour qui tout est parfaitement adapté ici-bas, n'ont pas ce petit problème. Le spectacle offert aux yeux des visiteurs, dans la simple observation des lieux et corridors, est étonnant et exquis. Fait à noter, cette première visite est offerte gratuitement à une classe de gens qui n'ont habituellement pas les moyens de s'offrir ce genre d'excursion. On ne les a toutefois pas prévenus qu'ils sont un groupe expérimental. C'est certainement très excités que ces premiers visiteurs s'installent dans leur chambre. Pour une étude de styles de décoration, les chambres sont complètement différentes les unes des autres. Elles ont cependant une particularité commune: d'énormes murales-aquariums donnent l'impression que les petits poissons qu'on y voit sont dans l'océan. Plus la murale est grande, plus la chambre est luxueuse. Un peu partout, au hasard, on retrouve des petites tables ressemblant au *Silent-Airport*, des sculptures et des lampes murales, répliques de l'*Araignée-Hôtel* et une statue rappelant l'*Arbre-Cité*. Toutes des hommages à monsieur Alex Tight.

Si extraordinaire que soit ce lieu, tous n'ont qu'une hâte: le voir. Lui. Le *Titanic*! Mais il est tard. Alors, ce soir, plusieurs divertissements sont offerts. On peut dîner au luxueux restaurant, le *Elvis-Presley* où l'on sert des *Coca-Cola* roses, des bleus et des verts, tous de tons pâles, transparents et, bien sûr, au goût absolument identique à l'original. On offre aussi de jouer au golf sur un parcours de six trous. La distance entre les verts est la même que sur un dix-huit trous traditionnel mais avec un luxe unique: température invariable vingt-quatre heures sur vingt-quatre avec, si on le souhaite, un petit vent artificiel. Pour ceux qui sentent le besoin de vérifier la solidité de l'immeuble sous-marin, on tirera, dans la soirée, à un endroit défini, un coup de canon *M-107* sur le mur. L'expérience se fera devant les caméras de la télévision. On expliquera qu'on pourrait, sans risque, tirer dans une baie vitrée. On ne le fera pas car cela laisserait une trace d'environ cinquante centimètres de circonférence et ça donnerait un aspect négligé. On expliquera aussi comment les tremblements de terre nous ont indiqué la voie de la solidité architecturale. Et, pour ceux qui le désirent, ils pourront passer la soirée au casino.

Au réveil, tous se rendent compte que ce lieu est à l'opposé de ce que l'on souhaite habituellement lorsqu'on est vacancier. Pas de soleil, ni d'oiseaux pour le saluer, pas d'odeur de frais matin, rien. Mais aujourd'hui est un grand jour. Aujourd'hui, enfin, ils verront, ils visiteront et toucheront même, pour la première fois, ce satané *Titanic*. Inutile de dire que la levée du corps, le petit déjeuner et les autres activités matinales se font en toute hâte. C'est un matin extraordinaire. L'excitation est à son comble. Les neuf cents personnes présentes sont invitées à se regrouper devant la splendide fontaine. De là, elles seront conduites à la grande salle en longeant un petit ruisseau artificiel. Son courant énergique indique la voie à suivre. Fait étonnant, lorsque les visiteurs pénètrent dans la grande salle, ce n'est pas une clarté éblouissante qui les accueille, mais plutôt une obscurité planifiée. Bien que dans la pénombre, les nouveaux arrivants demeurent tout à fait confortables. Ils voient très bien où ils mettent les pieds en suivant les ternes placiers qui les amènent à de petits gradins. De cet endroit, grâce à un procédé savamment orchestré, il leur semble que le noir, devant eux, respire. D'autres visiteurs sont séparés du groupe et invités à monter dans des passerelles métalliques. Ils ont l'impression bizarre de n'avoir rien sous les pieds. Arrivés à leur place, ces spectateurs surélevés demeurent accompagnés de leurs placiers qui font alors office de gardiens de sécurité. Et, ils attendent. Certains se demandent même dans quelle salle se trouve le bateau. Ce sont les caméras de télévision, déjà en action, qui leur donnent la réponse. Elles visent toutes dans la même direction. Vers ce noir. Devant. Oui, c'est bien ici que se passera quelque chose... d'attendu. Les visiteurs peuvent apercevoir des lumières-repères qui les informent de l'extrême hauteur des murs et de ce plafond étonnant. Quelques rares reflets de lumières blanches traversent la salle donnant une impression, peu réussie, de fonds marins. Quelques bruits d'acier tordu, et c'est tout. Il y a une volonté manifeste d'empêcher les gens de distinguer ce qui se trouve autour d'eux. Ils la sentent. Une musique douce et harmonieuse ajoute une ambiance quelque peu extra-terrestre et impose le silence. C'est l'attente. Encore.

Ici, c'est le public qui est nerveux. Enfin, une petite tribune s'illumine à l'avant, en plein centre de l'espace noir. Un homme et une femme apparaissent, face au public, un peu comme s'il s'agissait d'une quelconque remise de trophées.

- Mesdames et Messieurs, vivent les audacieux, bienvenue à tous à l'Aqua-Musée, le musée du *Titanic*... lance une voix féminine, fortement amplifiée.

- C'est la voix de la femme qui nous parlait dans la bande vidéo du sous-marin !... reconnaît, sous son grand chapeau, une dame du public.

- Pour votre grand plaisir, voici qu'enfin reprend vie devant vous, après plus de cent ans, l'épave la plus célèbre du monde, celle du *Titanic* ! proclame l'animateur qui accompagne Anic.

Section après section, s'illumine la majestueuse épave surmontée de quelques galeries métalliques où paraissent, comme suspendus, des petits groupes de visiteurs. Ces galeries permettent de faire presqu'entièrement le tour de l'épave, un peu comme si on était un oiseau volant à la vitesse de la marche humaine. Ces galeries sont extraordinaires mais on se demande un peu ce que font là ces petits groupes de visiteurs. Pourquoi les y a-t-on juchés ? Alors, ne sachant que faire d'autre, ils applaudissent. Chaque section de l'épave mise en lumière, est accompagnée d'une musique inquiétante. L'effet est un peu exagéré, mais les gens apprécient. Longtemps, le public regarde l'épave comme on regarderait un nouveau-né géant qui a attendu, non pas neuf mois mais bien plus d'un siècle avant de naître et d'enfin respirer.

- Chers amis, avant tout, grand merci pour votre présence ! lance Anic.

La foule applaudit.

- Maintenant, afin de mieux goûter ce grand événement, je vous invite à suivre les directives de votre hôte. Il vous accompagnera lors de votre inoubliable visite ! Bonne découverte ! ajoute Anic avant de disparaître.

Connaissant ses talents lyriques, le maître de cérémonie a tenté, avec la complicité du public, d'inviter Anic à chanter. En vain.

- Les gens se diviseront en groupes afin d'éviter la bousculade. Ceux qui sont déjà sur les passerelles suspendues feront le tour du monument à leur aise pendant que les autres pourront, en petits groupes dispersés, entrer pour en visiter les entrailles ! Par la suite, les rôles seront inversés afin que tous puissent jouir de cette grande exploration ! coordonne l'animateur.

Les impressions que laisse la vue du *Titanic*, vu de haut ou encore au niveau du pont supérieur, sont saisissantes. Les visiteurs en oublient d'avancer. À l'intérieur de l'épave, toujours sur les passerelles de métal dont les bases reposent on ne sait trop sur quoi, les visiteurs ont l'étrange certitude qu'il ne s'agit pas de la réalité. Qu'il ne sont pas vraiment là. Là... devant ces parois, ces anciens murs du *Titanic* recouverts de pendeloques, de stalactites. Cette rouille qui, semble-t-il, a le mandat de cacher l'horreur dont les murs ont été témoins cette nuit du 14 au 15 avril 1912. Ces composantes ont tellement d'effet sur les visiteurs qu'ils entendent à peine les guides leur raconter toutes sortes d'histoires intéressantes se rapportant aux événements passés et actuels. Ils se demandent si l'éclairage à l'intérieur de l'épave est savamment installé ou si les concepteurs ont fait que ce qu'ils ont pu, vu la fragilité des lieux. De voir l'épave du *Titanic* de l'extérieur, c'est une chose, mais de voir ces chaudières et ces cylindres géants se tenir là, devant eux, a de quoi faire frémir le diable lui-même. Il n'est même pas nécessaire d'avoir de l'imagination pour avoir l'impression de voir et de sentir tous les fantômes qui, certainement, rôdent tout autour. Une vision, un spectacle, un film en noir et rouille.

Neuf cents, puis neuf mille, puis neuf fois neuf mille visiteurs sont, jusqu'à ce jour, venus hanter ce lieu, maintenant acheté et vendu.

Un an déjà.

Même rêve. Même noir. Avec, dans l'eau, les quelques rares reflets de lumière. Le bruit des tôles d'acier qui se tordent, auquel s'ajoutent des plaintes humaines d'origine mystérieuse, est de plus en plus effroyable.

Hhhff! Impossible de respirer dans l'eau froide. La proue du Titanic passe tout à coup de haut en bas dans les premiers mille mètres de son horrible descente vers le fond. Puis, plus rien. Plus aucun reflet de lumière. Noir.

Fin Du Troisième Rêve

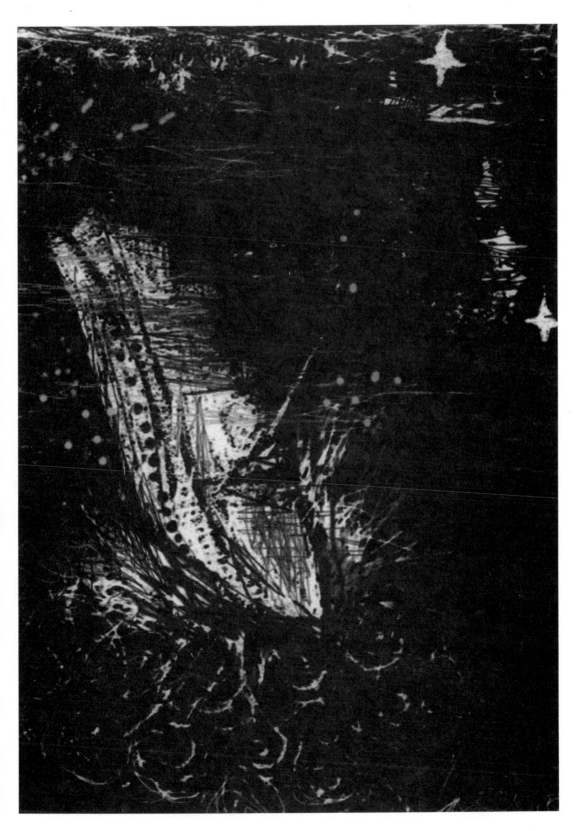

Le coup de téléphone

À l'autre bout du monde, trois jeunes plongeurs reviennent d'une petite exploration sous-marine. Leur tête émergeant de l'eau, ils approchent du yacht d'appui. Du yacht, un jeune homme les aperçoit. Il s'empresse de quitter son siège de pêche à l'espadon afin de faire un signal manuel au groupe de plongeurs. Message reçu.

- Il dort ! Il faudra monter à bord sans faire de bruit ! annonce un des plongeurs aux deux autres.

- Tant mieux ! Ça va nous donner un petit repos avant de recevoir son avalanche de directives intempestives ! rétorque une des deux filles.

Ils montent à bord.

- Pas de bruit ! Faites ce que vous avez à faire, exactement comme s'il était éveillé ! propose celui qui retourne s'attacher à la chaise conçue pour la pêche aux grosses prises.

Les plongeurs enlèvent leur équipement avec mille précautions. En vain. Effectivement, il dormait près de la cabine de son yacht. Mais là, Kirk LeMadelaine feint de dormir encore. À leur insu, il les observe. Pour son plaisir, il donne des cours de plongée sous-marine et de pêche au thon mais, il n'enseigne qu'à ses employés. Habitué à diriger des hommes, il est, en temps normal, responsable de sécurité et chef d'équipes dans des manifestations publiques importantes. Il possède sa propre entreprise et peut mobiliser plus de quatre cents hommes et femmes à la fois. C'est lui qui les forme. Ce n'est pas pour rien que les apprentis plongeurs ne veulent pas le réveiller. Ses sautes d'humeur et ses critiques, ils peuvent s'en passer, ne fusse que pour quelques instants. Les plongeurs devraient le réveiller afin de discuter car il y a eu une courte panique, en bas, à la vue d'un petit requin. Sans compter que, grâce au courage des deux autres, ils ont évité l'embolie. Pourtant ce petit requin ne valait pas la fuite hors de l'eau. Mais, puisqu'on est à l'école, il y a matière à faire un petit rapport. Cette fois cependant, ils passent outre. Les plongeurs réparent la courroie brisée d'une bonbonne, puis ils se préparent à plonger à nouveau sous l'oeil approbateur du pêcheur. «Si ! Ils sont venus mais, rien à signaler, ils ont replongé !» dira-t-il au méchant. Les fesses sur le rebord du yacht, les plongeurs sont prêts à basculer par derrière pour plonger comme on leur a déjà gentiment enseigné à le faire. «Il est toujours endormi ? Ouf !» pensent les quatre jeunes gens. Mais, il faut faire avec le monde moderne ! La sonnerie du téléphone retentit. Trahis. Les quatre élèves figent. Le téléphone sonne à plusieurs reprises mais ne semble pas réveiller le patron. L'apprenti pêcheur décide soudainement de se détacher et d'aller éteindre, à tout le moins, cette sonnerie de malheur. Chose faite. Kirk LeMadelaine ne bronche toujours pas.

- Bravo ! Retourne vite à ta place ! lance une des plongeuses avec une faible voix de narines bouchées par le masque.

Ce qu'il fait. Si le silence avait un goût de chocolat, ce serait le moment de se rassasier. Après ce silence pourtant, LeMadelaine regarde volontairement les trois plongeurs qui se sentent soudainement bien ridicules et regrettent amèrement de n'avoir pas plongé quelques secondes plus tôt. Puis, LeMadelaine regarde le pêcheur qui le regarde avec un air aussi intelligent que celui d'un poisson au bout d'une ligne. Il aurait envie d'être de la neige. Elle, au moins, elle fond et disparaît quand elle a chaud. Bien que la sonnerie du téléphone soit maintenant coupée, le petit clignotant rouge indique à LeMadelaine que l'interlocuteur attend toujours qu'on réponde.

- Réponds, toi ! tonne LeMadelaine à son apprenti pêcheur.

Le pêcheur, qui voudrait bien n'être rien d'autre pour le moment, se détache à nouveau et s'empresse d'aller à l'appareil. Après quelques mots, le craintif voit LeMadelaine lui demander de la main, de qui il s'agit. Le jeune hausse les épaules.

- Ça semble gros... Je crois que c'est du boulot... risque-t-il à son capitaine.

LeMadelaine fait signe qu'il rappellera plus tard.

- Il n'est pas là. Il... il vient de plonger, transmet le jeune pêcheur.

Puis, de sa main, il bloque le micro.

- Ils disent que c'est important !

Mais LeMadelaine lui répète ses signaux négatifs. Le jeune dépose l'appareil sans rien ajouter et ne bouge plus.

- Eh bien... Tu laisses ouvert ? interroge LeMadelaine.

- Euh... Ils disent qu'ils vont attendre. C'est important, lui répond le jeune.

- Important, mon oeil ! rage LeMadelaine en se levant.

Il va vers le jeune qui, par un petit réflexe d'auto-protection bien inutile et pour se donner une contenance, reprend l'appareil. LeMadelaine le lui arrache des mains.

- Oui ?... Oui !... Oui, vous me dérangez ! Je suis en plein cours de... Mmh ?

Un temps.

- C'est pas vrai !... Pas lui !

Un long temps.

- Ils sont malades !

Un temps.

- Quand ? finit-il par demander avant de couper.

Impassible, il demeure longtemps sans bouger. Il tourne la tête vers les trois plongeurs qui redoutent maintenant l'explosion colérique. Heureusement, elle se résume en un geste sec de la main qui leur ordonne de déguerpir. Sauvés par un besoin de réfléchir. Le pêcheur, lui, ne bénéficie d'aucun prétexte pour se sauver comme ses confrères plongeurs, alors il fait semblant de ne pas exister. LeMadelaine retourne s'asseoir là où il était préalablement installé et entre en profonde réflexion. On vient de lui dire qu'il sera responsable de l'ensemble du personnel de la sécurité pour le Télédon de l'Aqua-Musée. Après un bon quart d'heure, le jeune pêcheur, qui ose à peine respirer, remarque que les yeux de LeMadelaine commencent à s'alourdir. «On ne me fera jamais croire qu'il vient de se rendormir ! Oh que non !» pense l'apprenti pêcheur.

DEUXIÈME PARTIE

Le *Titanic II*

L'enfer des images

Sifflet de paquebot. Port de Southampton. Fin de matinée plu-vieuse. Le quai fourmille d'animation. C'est la fin de l'embarquement de nombreuses pièces et accessoires scéniques de grande envergure qui serviront aux fins de ce qu'on pourrait appeler le plus grand spectacle de variétés jamais présenté: le Télédon. Spectacle qui servira à financer la phase II de l'Aqua-Musée. Suit l'embarquement de plus de mille très riches badauds tenant à assister au spectacle et ce, à prix fort. Le quai s'anime maintenant à l'arrivée des stars les plus populaires venus des quatre coins du globe, d'Hollywood surtout. Robes somptueuses, cha-peaux extraordinaires, habits de grandes occasions, bref, tout ce qu'une pavane de la gente la plus élitique qui soit peut offrir, et qui s'apprête à monter à bord. À bord... du navire transatlantique dont le nom original a remué l'Histoire à coups d'histoires durant plus d'un siècle. Le *Titanic II*, déjà âgé de trente-trois ans, ira s'immobiliser de façon défini-tive à la base d'accueil de l'Aqua-Musée, directement au-dessus de son ancêtre. Il servira de galerie à l'histoire maritime passée, présente et à venir, d'école de navigation, de base d'observation des océans et d'ex-cursions en submersibles, avec hôtels de tous genres, stations de repos, cinémas, etc.

On se demande un peu ce que vient faire ici cette grosse fanfare mais, ça fait joli et presque romanesque. Finalement, c'est la montée à bord de l'instigateur du projet de l'Aqua-Musée, Louis Thorp Sr, dit le Cigare. Il est accompagné de sa toute jeune épouse, de sa fille, de son gendre, et de son fils, Louis Thorp Jr., qui bat le rythme de la fanfare en sifflant fort et mal.

Comme il se doit, le majestueux navire noir et blanc aux quatre cheminées mythiques or et noires, quitte le port de Southampton en grandes pompes pour reprendre le tracé complet du *Titanic*. On fera aussi le tracé vers le fond de l'eau mais, cela va de soi, pas à bord du *Titanic II*. Le président laisse ses proches aller et venir à leur guise sur le navire tandis que, non sans une exceptionnelle fierté, il se rend à la timonerie afin de raconter ses exploits au capitaine. Le président sait qu'il s'agit d'un mégalomane averti, surtout depuis qu'on l'a désigné à deux fonctions pour le moins historiques, la première étant d'effectuer la moitié du voyage aux commandes du *Titanic II* pour le trajet final de ce navire. Une fois celui-ci amarré pour toujours, la deuxième fonction du capitaine sera de prendre, dès le lendemain du Télédon, les commandes du tout neuf *Freedom*; navire de 331, 000 tonnes, venu rejoindre tout ce beau monde pour ensuite terminer le voyage à New York. Mais peu importe les navires, le président ne vit plus que pour raconter au capitaine la mise en scène de son mégaspectacle dans l'enceinte de l'Aqua-Musée. Cependant, c'est un capitaine, thé à la main, qui le reçoit avec droit de parole avant tous. Lui-même n'attendait que cette visite du président pour lui en mettre plein la vue avec la description et les possibilités infinies de son nouveau divin navire dont il pointe fièrement du doigt la réplique longue de près de quatre mètres, exposée sur son piédestal en plein centre de la timonerie. Hiérarchie oblige, le président doit attendre qu'on daigne bien lui accorder le droit de parole.

- Bonjour Louis ! Que penses-tu de mon petit bateau ? Pas mal, hein ? lance le capitaine à cette vieille connaissance.

Fatigué mais content d'être arrivé, le président s'allume un cigare.

- Avoue que c'est quelque chose, mon vieux ! Véritable monstre marin. Géant, colosse, titan des mers, "the biggest, most expensive cruise ship ever built !" lui lance-t-il en plein visage avant de laper sa dernière gorgée de thé.

Le président sent que ça va être long.

- Regarde-moi ça ! Piscines, salles de théâtre dont la plus petite, la *Scala Theatre* de deux mille deux cent vingt-sept places, clubs de nuit, champ de tir intérieur, grands restaurants, super casino, centre pour la jeunesse, salon d'esthétique, boutiques, marchés, saunas, centre de santé et de mise en forme, cinémas... pour ceux que ça intéresse, observatoire, musée de cire. Le soir, sur le pont principal, on se croira sur une grande plaine flottante ! Méga, super, ultra paquebot, le *Freedom* pourra avaler jusqu'à cent quinze mille habitants !

Le cigare sent de plus en plus mauvais. Les mots deviennent bizarrement chétifs pour décrire le prochain orgueil du capitaine.

- Centre de villégiature flottant ! Mégalopole des flots ! *Titanic* multiplié par cinq ! Outre sa démesure, le *Freedom* se démarque par quelques extravagances de taille. Il comptera deux cents acres de parcs, des pistes cyclables, une patinoire avec grands gradins et surfaceuse, un mur d'escalade, une promenade longue comme deux terrains de soccer...

Le président regarde l'horizon avec un sentiment, une envie de voir changer en tempête ce gris et plat temps maritime. Elle seule pourrait se permettre d'interrompre le capitaine dans son palabre. Il semble pourtant que cette petite pluie, fine, sans énergie, sans rythme est là pour durer. Elle donne un goût d'éternité âcre dans la bouche de l'impatient. Car tout comme le navire qu'il commande, rien ne peut vraiment stopper le capitaine.

- ... une piste pour patins à roulettes, un héliport, des écoles, un hôpital, une marina, deux pistes d'atterrissage d'avions de ligne et même une usine d'épuration. Et j'en passe. Le navire lui-même est d'une longueur de 1, 6 kilomètre. On a prévu cent moteurs diesels de trois mille sept cents chevaux à l'intérieur de la coque pour déplacer ce monstre de vingt-cinq étages et qui fait... ne peut continuer le capitaine.

- Oui, je sais ! Cinq fois l'envergure du *Titanic* ! risque le président, espérant ne pas trop choquer la hiérarchie.

- Ha ! Il est si grand qu'on estime qu'une vague, haute comme un édifice de dix étages, le déplacerait d'à peine deux centimètres. La coque est faite de cinq cents caissons étanches reliés entre eux, qui rendent le bateau insubmersible, comme on le disait pour le *Titanic* ! Ils ont même pensé à poser une boussole ! se fait rire le capitaine.

- Hu-hum... Guerre de géants. Une course complètement folle au tonnage. Les grandes lignes du marché de la croisière cesseront-elles un jour d'enfanter des monstres ? pense à haute voix le président, omettant volontairement de jeter un coup d'oeil à la splendide maquette.

- La course au gigantisme ne répond qu'à une seule loi: "Think bigger !" dégorge le capitaine.

- Pourquoi me racontes-tu ça ? Qui cherches-tu vraiment à impressionner ? Je connais ton bateau ! Il est extraordinaire, c'est vrai ! Fantastique ! Et je le connais de fond en comble ! Les plus gros porte-avions auront l'air de nains à côté de lui. Mais les bateaux, tu sais... c'est du déjà vu ! réagit le président, s'étouffant dans sa propre fumée.

- Ah oui, c'est vrai ! Tu donnes dans le spectacle, maintenant ! ironise le capitaine.

Le président écrase son cigare et en déballe un autre qu'il n'allume pas.

- Comique ! Puis-je parler, maintenant ? se languit le président.

Son discours enfin terminé, le capitaine, tout sourire à la réception de son deuxième thé, fait signe que oui et se fait maintenant auditoire attentif.

- Phénoménal le *Freedom*, presqu'irréel. Mais en attendant, c'est le *Titanic II* qui détient la vedette ! Parce que son chargement entier est une première mondiale ! "Showcase" complet à bord du navire. Spectacle et spectateurs. Près de cinq cents participants à mon mégaspectacle. Un tiers protagonistes, deux tiers techniciens. Tout l'appareil scénique, scène comprise et, pour le comble, mille spectateurs ! Sans compter la télévision ! Exclusivité pour la chaîne WBVT [1].

- Ah oui ? interrompt le capitaine.

- Eh oui ! Et tous les commanditaires nous accompagnent avec leurs produits, décors, "chorus lines", au besoin, et vedettes. Toutes les pauses publicitaires seront parties intégrantes du spectacle ! En direct si tu préfères. Tout ce que je peux te dire c'est que *Cadillac* y a mis le paquet avec un défilé d'une voiture de chaque année depuis son existence. Et tout ça pour une seule représentation, s'il vous plaît ! répond le président qui a promis une traversée en totale absence de reporter jusqu'à l'arrivée à l'Aqua-Musée.

Ébloui par son propre discours, le président ne voit pas celui qui a le droit d'entrer sans permission dans la timonerie pour parler au capitaine.

- Premier rapport ! Nous venons de prendre le large une heure après avoir quitté le port et tout est en ordre, mon capitaine ! rapporte le premier officier.

- Merci monsieur Gondorf, répond simplement le capitaine.

L'officier sort, ne déconcentrant absolument pas le président qui répète:

- "Showcase" complet ! Devant l'immense épave, une scène à peine plus petite sera installée. Au-dessus de l'épave, un peu vers l'arrière, il y aura un écran géant, de la longueur même de la proue avec, comme première image projetée lors de l'entrée du public; le *Titanic*, la nuit, au moment où il commence à couler. Au bas de l'image, à droite, le mot *Titanic* en lettres gigantesques, au style et à la couleur de

[1] World Broadcasting & Virtual Television

126

Coca-Cola, unique commanditaire de l'Aqua-Musée. Le coup d'envoi du spectacle sera donné par le très connu Cirque du Soleil, accompagné d'images sur le grand écran. Les images sont réalisées par le Cirque et produites par votre hôte, lui-même. Par la suite, les huit plus grands couturiers du moment déambuleront silencieusement au bras de leur mannequin vedette pour la présentation d'une pièce unique pour chacun. Des numéros imaginatifs, inédits et créés pour cette seule occasion par quelques grandes vedettes du cinéma, de même que les meilleurs monologues d'humoristes choisis, seront encadrés d'une vingtaine de compositions de différents groupes de musiciens et chanteurs. Avec l'aide d'une vingtaine d'assistantes, toutes plus jolies les unes que les autres, dispersées sur ce qui fut le plus grand navire de toute l'histoire, le grand magicien Dozi fera disparaître l'épave et ne la fera réapparaître qu'après les supplications répétées du public. Les gens seront médusés ! Vient ensuite l'attraction principale ! Les hologrammes ! Imagine ça !... Ed Sullivan accueille Elvis Presley qui, lui même, durant sa chanson, accueille son ennemi juré, Frank Sinatra. Toujours en chantant, ils sont rejoints par les Beatles qui, avant de disparaître, invitent Marilyn Monroe. Elle se rend au centre de la scène avec son célèbre déhanchement en chantonnant: "Happy birthday, Mister President..." Elle termine sa chanson en donnant une rose noire à John F. Kennedy, venu la rejoindre. Lentement, sans se quitter des yeux, les illustres tourtereaux se dirigent, dos au public, vers le fond de la scène et disparaissent dès qu'ils touchent le *Titanic.* Comme s'ils y entraient. Pour terminer, Bugs Bunny, après une brève plaisanterie sur le couple mythique, est lui-même éjecté de la scène par les ruades de Daffy Duck !... On a programmé ces hologrammes il y a quelques jours seulement ! Je te le dis, il faut les voir ! Ils sont parfaits ! Et je ne te parle pas de l'étonnant système de son savamment élaboré par un génie, maniaque de l'amplification, mon fils !...

Thorp Sr. s'interromp une seconde, l'oeil posé sur le chef du vaisseau. Sans tenter de le dissimuler, le capitaine s'était laissé hypnotiser un moment par l'horizon sans ride de l'océan. Il n'a pas besoin de tempête, lui, pour déserter une conversation qui l'ennuie. Cet instant de silence, néanmoins, lui impose un coup d'oeil vers Thorp Sr. Ce regard suffit pour redonner à ce dernier un élan pour poursuivre, refusant de voir qu'on espère qu'il abrège.

- Le spectacle sera entrecoupé par des publicités en direct, comme je t'ai dit, et par les descriptions des dons offerts par les artistes et autres bienfaiteurs. Bien sûr, on commencera par les montants les moins importants. Les donneurs ont été sollicités depuis longtemps. Les vedettes donneuses sont regroupées par deux ou trois, afin d'éviter un peu la comparaison à propos des dons. Ont déjà donné aussi, des centres de recherches sur les métabolismes organiques, des centres de formation sportive, des lignes du marché de la croisière, des lignes aériennes, des musées, des municipalités et certains donneurs privés. Ce sont eux tous qui seront dans la salle, termine le président, espérant du capitaine une réaction élogieuse.

Ce dernier, sourire poli, demeure immobile si ce n'est pour une petite gorgée de thé. Au fond, le président n'en attendait pas vraiment davantage.

- À la fin, je prendrai la parole pour annoncer la date prévue du début des travaux de construction de la phase II de l'Aqua-Musée. Car il n'y aura pas que des services de loisirs. Un centre de recherches sur les sciences naturelles et le comportement humain, animal et végétal sera mis sur pied. Ce projet implique que des gens vivront en bas de façon quasi permanente. Le tout fait très sérieux mais les loisirs ne seront pas oubliés pour autant car à ce moment, l'autre partie de l'épave, la poupe, sera aussi exploitée. Ce sera un centre de plongée sous-marine dans un bassin-aquarium dépressurisé autour de la poupe du *Titanic*, avec niveau d'eau réglable. Eh oui, on visitera cette autre partie de l'épave, en plongée sous-marine ! À l'eau libre, si vous me permettez l'expression ! L'épave se retrouvera, par la même occasion, entièrement protégée de la corrosion provoquée par l'eau salée ! De plus, on pourra observer les requins, tortues et poissons tropicaux dans une gigantesque piscine d'exhibition où les visiteurs se déplaceront à l'intérieur d'un labyrinthe de tubes vitrés. Bien au sec dans ces tubes, ils auront de l'eau au-dessus de la tête, sur les côtés et sous les pieds. Bien sûr, il y aura aussi les toujours très populaires expéditions en submersibles. La vie dans l'espace va bon train ! À moi le fond des mers, maintenant ! Mais, tout cela prendra au moins deux autres années et c'est ma fille qui dirigera mon entreprise à ce moment. J'ai demandé à ce que soit émis un timbre à l'effigie de l'Aqua-Musée mais on a refusé, prétextant que les timbres sont réservés aux défunts. Il n'y aura donc pas de timbre ! s'amuse le président.

- Ta fille ? Pourquoi pas ton fils ? Il est trop jeune ? Ou bien tu as une préférence ?... s'intéresse le capitaine.

- Mon fils... Non, ce n'est pas la même chose. Je... Ce n'est pas parce qu'il est le cadet mais... Il... Oh, je crois même que je l'aime davantage que ma fille... je ne sais pas... Pourtant, c'est un meneur d'hommes. Je dirais même, un manipulateur hors pair. Enfin, bref; c'est dans les yeux de ma fille que j'ai vu l'étincelle, le génie du commandement ! avoue le président.

- Il est au courant ? s'inquiète le capitaine.

- Bien sûr que oui ! Ça m'étonne même qu'il ait accepté de venir au Télédon et j'avoue franchement que ça me fait bien plaisir qu'il soit là. De toute façon, il ne sera pas en reste même s'il n'est pas le président. Il demeure un de mes successeurs, après tout, se défend Thorp Sr.

- Et il accepte ça ? questionne encore le capitaine.

- Il n'est peut-être pas ravi de l'idée mais comme ce n'est pas lui qui décide... Il pourra toujours se rattraper sur son jeu d'échecs. Ses maudits échecs ! abrège le président.

Un silence.

- Bref, on finit le Télédon avec un bal où on dansera sur les plus grands airs classiques des dernières décennies. Ce sera un spectacle qui va t'en mettre plein la vue, mon vieux loup ! reprend le président, allumant son deuxième cigare et feignant d'oublier le dernier sujet.

- Hum... J'ai du travail, ici. Je dois préparer l'arrivée du *Freedom*. Elle coïncide justement avec le Télédon, objecte le capitaine.

- Alors, viens juste avant ! La veille ! J'offre à tout le monde un cocktail et une visite de l'épave ! Question d'avoir une petite partie privée avant le Télédon. Je réserve la surprise de leur vie à mes invités. Une façon de les préparer psychologiquement aux stars légendaires, aux monstres sacrés qu'ils verront le lendemain, grâce aux hologrammes, insiste le président.

- Sans façon. Mais ne sois pas trop triste. J'en verrai des extraits sur mon téléviseur. Et puis, j'ai peur des profondeurs, conclut le capitaine.

- Dommage, car vois-tu, tout sera parfait ! Tout est sous contrôle ! se targue le président.

Oui, tout est sous contrôle. Mais sous le contrôle de qui ? On le sait, dans une timonerie qui se veut digne de ce nom, seuls les officiers y évoluent. À priori, tout est privé et confidentiel. Comme sur ce navire présentement, vu le nombre de personnalités qui s'y trouvent, on a envie d'intimité. Pourtant, toute la conversation des deux dirigeants est filmée à leur insu. Les stars aussi sont filmées, sans permission, dans leurs moments de détente entre amis. Sur le pont...

- Salut ! Tu es prêt ? Tu vois ça ? Il a un porte-clés *Jaguar*... et il est bien en vue. Appelle vite le concessionnaire ! transmet un porteur de caméra secrète à un correspondant terrestre.

Trois secondes plus tard.

- Ça y est, il est en ligne ! Je reste à l'écoute ! dit le correspondant.

- ...Bonjour Monsieur Togn. Vous voyez ça ?... À combien estimez-vous cette image ? Oui ?... Parfait ! Dans vingt secondes, vous pourrez insérer votre logo ! Au revoir Monsieur Togn !... Paul ? On est en ondes ! Tu les entends sur le pont ? demande l'espion caméraman.

- En arrière-plan, oui, mais je perçois mal leur conversation ! répond le correspondant.

- Parfait ! Attention, voici la voix hors-champ... «Ksss... trrrr !... Sur les continents, les voyageurs du *Titanic II* se déplacent en *Jaguar* sport pour les loisirs et, pour le travail ou les déplacements protocolaires, l'indomptable *Jaguar* de ville ! Quand l'élite doit jouer au Globe-Trotter: *Jaguar* !» Et puis, c'est rentré ? demande l'indiscret caméraman, tout en continuant à filmer.

- Numéro un ! répond son complice, à l'autre bout du monde.

- Yes ! O.K., à tout de suite ! s'exclame, au risque de se faire prendre, l'effronté caméraman.

Eh oui ! Presque tous, passagers et vedettes, sont filmés clandestinement par des caméras de la taille d'un demi-crayon, dissimulées dans une boucle de ceinture, un stylo ou une paire de lunettes. Passagers magnifiques, ils orchestrent, à leur insu, de la publicité... et en direct en plus. Ils sont plus d'une dizaine à accomplir leur méfait. Leur camouflage est simple. Ils sont à la vue de tout le monde, sous les apparences d'un premier officier, d'un membre de l'équipage, d'un riche badaud ou même d'une star. Et ce ne sont pas de simples petits techniciens de la caméra; la plupart sont les actionnaires même de la chaîne de télévision rivale à la course au monopole mondial et qui n'a pas accepté d'avoir été écartée par monsieur le président, pour la diffusion du Télédon. Par son choix, Thorp Sr. détermine pratiquement la gagnante dans la lutte à finir entre les deux chaînes. Et la piraterie des images continue... Comme les moments de tendresse goûtés par la fille du président auprès de son mari, filmés sournoisement au bord de la piscine. Ces images servent à vendre les fameuses montres *Lolova*. Et les maillots de bain *Honolulu*, par la même occasion. Sous une légère pluie qui s'obstine à escorter le *Titanic II* tout au long de son dernier périple, la main d'un fils de patron remonte innocemment, au profit des bas de nylon *Kim*, la cuisse d'une toute jeune femme afin de sonder les formes intimes de son anatomie. Avec un slogan aussi intelligent que: «Plus on monte, moins on voit le bas !» D'autant plus que le voyeur n'ignore pas à qui il a affaire. Autant de prétextes pour vendre de la publicité en direct, que vole à l'insu des glorieux passagers, cette chaîne de télévision éconduite de l'événement. À plusieurs heures de l'arrivée, quelques acteurs, actrices et humoristes peuvent bénéficier de l'amphithéâtre du navire afin de revoir certaines parties de leur étonnant numéro. Cette fois, la télé paparazzienne a l'embarras du choix: verres fumés, eau naturelle, petits ordinateurs, cigarettes, parfum *Canel*, rouge à lèvres, barre de chocolat-diète-taille de guêpe... Et, bang ! Cette fois-ci, sous les traits du tout bon technicien de scène qu'il est, le dissident se fait prendre en pleine narration de son malin trafic.

- C'est juste qu'il parlait un peu fort pour quelqu'un qui est seul ! Et puis, je le voyais souvent traîner inutilement autour des comédiens ! rapporte un autre technicien à un officier, qui lui, le rapporte au capitaine, qui le signale à son tour au président.

- Ils ont fait quoi ? Les démons ! Les jaloux ! Ils n'arrêteront devant rien pour se venger de ne pas avoir été choisis ! explose le président.

- Qu'est-ce qu'on fait maintenant ? demande un premier officier.

- Rien ! Confisquez-lui poliment son équipement et traitez-le en invité ! Je ne veux pas créer une guerre en ce moment ! Ils viennent de m'offrir la victoire sur un plateau d'argent ! Avec ce que je tiens, j'ai suffisamment d'éléments pour les traîner devant les tribunaux ! Et toc ! À nous le monopole ! ordonne le président en ajoutant pour lui-même: «Qu'est-ce qu'ils vont encore inventer ?»

Des hommes d'honneur

Pendant qu'on lave son petit linge sale médiatique à bord du *Titanic II*, Kirk LeMadelaine révise le système de sécurité de l'Aqua-Musée avec l'aide de son complice que tous surnomment amicalement, le Légionnaire. Avec lui, LeMadelaine partage la moitié du commandement des responsables de la sécurité. Puisque le bâtiment s'apprête à recevoir les invités les plus importants de, peut-être toute son histoire, LeMadelaine presse les deux derniers navires de quitter la base d'accueil de surface de l'Aqua-Musée afin de laisser libre toute la place et rendre moins laborieuse la sécurité du gratin qui approche. Empêcher d'éventuels fauteurs de trouble d'entrer sera la grande priorité. Deux cent huit caméras couvrent la totalité de l'Aqua-Musée et de sa plate-forme d'accueil. Détecteurs de mouvements. Magistrats jugeant sur place les indésirables et ayant le droit immédiat de les expédier à la surface. Cliniques avec médecins et secouristes en cas de blessures. Les systèmes d'oxygénation et de chauffage étant conçus pour fonctionner cent ans sans avoir à y effectuer aucun entretien, LeMadelaine en fait tout de même faire une double inspection, dépassant ici son véritable mandat. Car, c'est pour qu'il n'arrive rien de déplorable qu'il est, entre tous, celui qu'on est allé chercher. Aussi, répartis un peu partout, cent soixante-neuf écrans de télévision sont préparés à changer immédiatement la transmission en cours pour des messages d'urgence, y compris le super-écran géant du Télédon. Pour ces mêmes messages d'urgence, on ajoutera un peu partout, à la suggestion de Louis Thorp Jr., des hauts-parleurs de très haute gamme. À bord du *Titanic II*, ces enceintes acoustiques, plutôt imposantes, seront installées dès leur arrivée. Pour dissimuler ces outils nécessaires à la sécurité, écrans et hauts-parleurs diffuseront sans arrêt des émissions de variétés, même dans des lieux et corridors vides, comme ce sera le cas lors du Télédon puisque tout le monde assistera au spectacle. Il n'y a que dans les hauts plafonds inaccessibles que ces systèmes de sécurité n'auraient été d'aucune utilité. À part quelques volontaires de confiance qui ont fortement insisté pour être là, ce sont toutes et tous des professionnels de la sécurité, entraînés par LeMadelaine, qui sont à l'oeuvre. Ce sont toutefois les plus aguerris qui seront chargés du contrôle de l'arrivée des invités à la plate-forme d'accueil de surface. Une tâche délicate puisqu'ils devront exécuter filtrages et fouilles avec la plus grande courtoisie et le plus sincère des sourires. Pas de policier, pas de militaire, rien que son équipe. Même les uniformes ne seront qu'un sympathique rappel à l'ordre. Rien de trop formel. Il ne manque plus que le départ des deux paquebots des visiteurs retardataires et tout sera prêt pour l'arrivée des célèbres invités.

- Tout est parfait ! conclut LeMadelaine.

La fine pluie qui accompagne la copie du légendaire navire depuis son départ de Southampton, s'éclipse enfin pour laisser paraître le soleil au moment même où les passagers aperçoivent, au loin, la plate-forme d'accueil de l'Aqua-Musée, magnifiquement terminée cette fois, et aux couleurs des cheminées du *Titanic*. Excitation à bord, désarroi sur la plate-forme. LeMadelaine, l'homme calme par excellence, ne se contient plus. Les deux navires parasites, c'est ainsi qu'il vient juste de les baptiser, n'ont pas encore quitté la base d'accueil. La raison, l'imbécile de raison: deux groupes de passagers ont fait porter leurs bagages sur le mauvais navire. De jolies petites crises d'hystérie et pertes de conscience se sont terminées à la clinique. Et pour ajouter à la confusion, les bagages, non identifiés s'il vous plaît, demeurent introuvables.

- Quelle connerie ! hurle LeMadelaine.

Le capitaine du *Titanic II* demande qu'on soit prêt à accueillir son navire. LeMadelaine, gêné, très gêné, au point qu'il a l'impression que sa colonne vertébrale va fondre de honte, fait demander au capitaine s'il peut attendre un petit... quatre heures avant d'accoster.

- Je ne vois pas de problème. Je me renseigne, termine le capitaine.

Les bagages des étourdis demeurent toujours introuvables. Ainsi que leur calme. Quatre heures ne sont pas suffisantes pour que tout rentre dans l'ordre. Il en faudra cinq de plus, informe LeMadelaine, colonne vertébrale toujours défaillante, au capitaine du *Titanic II*. Trop tard ! Ce voyage est une louange au plaisir. Point. Le temps et le soleil sont majestueux. Plusieurs passagers, plutôt gaillards, impatients et surtout très enjoués, ont demandé, question de copier l'Histoire, la permission de débarquer en chaloupe. Le lieu et l'instant sont trop uniques, on ne va quand même pas passer à côté !

- Ils ont quoi ? tempête LeMadelaine qui lance des appels de protestation au capitaine du *Titanic II*.

Appels bien vains puisque le capitaine a déjà donné son accord, à la demande du président. Arrivés au splendide port flottant, les richissimes chenapans jouent à explorer les icebergs avoisinants. Les glaciologues de la plate-forme n'attendaient que ça, de toute façon. Ou encore, ils se lancent dans de petites excursions en mini sous-marins monoplaces à propulsion humaine. Deux ou trois d'entre eux ont essayé la pêche mais sans résultat. En fait, ils ne savent trop quoi inventer en attendant les autres passagers du *Titanic II* qui n'ont pas osé débarquer en chaloupe, préférant le faire de façon plus sécuritaire. Puis, c'est la vraie, la réelle descente vers une épave qui, dirait-on, les appelle. LeMadelaine, qui aime avoir le contrôle sur tout, n'est pas au bout de ses peines. Il en a vu bien d'autres mais n'a encore jamais eu affaire à un tel bataillon de poudrés, à prendre avec des pincettes, en plus.

- Ils ne sont pas méchants ! tente de le rassurer le président en ajoutant que l'important est d'ouvrir l'oeil à cause des paparazzi qui pullulent à un rythme invisible.

Thorp Sr. ajoute qu'il doit faire installer immédiatement plus de vingt petites mais puissantes caméras à des endroits bien spécifiques sur l'extérieur même des structures de soutien du musée. Intrigué, LeMadelaine obtient pour seule explication que ces caméras, accrochées sur les flancs des super-structures, seront nécéssaire pour le spectacle.

- Une surprise d'avant-Télédon ! Avec cette peste de voyeurs qui nous accompagnent, je pourrais aussi bien avoir un micro caché dans une dent et n'en rien savoir. Alors je préfère ne pas en dire davantage ! catimine le président, en ajoutant quelques petites directives à propos des hauts-parleurs de son fils.

«Et des ordres, en plus !» transpire LeMadelaine, obligé d'admettre qu'il est devant le grand patron. Puis, Thorp Sr. disparaît vers les entrailles de l'Aqua-Musée, laissant, tel un enfant abandonné dans la foule, LeMadelaine à son travail de supervision d'accueil. À peine sont-ils débarqués du *Titanic II* que LeMadelaine en a plein les bras avec cette joyeuse bande de fripons. Pour le moment, tout se déroule bien au passage du tourniquet. Amusés par le zèle rieur et le doigté parfait des agents de sécurité, les illustres visiteurs se prêtent de bonne grâce au fragile et presqu'embarrassant contrôle d'entrée. Enfin, le génie de LeMadelaine refait surface. Cela lui permet même de se décontracter au point de remarquer la grâce et l'élégance de la toute jeune épouse du président qui fait son entrée au bras de son beau-fils. Ce dernier n'est pas spécialement beau mais il possède un puissant charisme additionné d'une gentillesse étonnante bien qu'un peu exagérée. Ce Louis Thorp

Jr. a beau jouer au patron rigide, les ouvriers mis à sa disposition ressentent une impression de plaisir à installer tous ses hauts-parleurs de sécurité. «Ils ont l'air très puissants !» semble considérer LeMadelaine.

- Leur haut niveau de qualité permet d'aller vers une extrême puissance bien qu'inutile, effectivement ! répond le fils du président qui a lu le commentaire dans les yeux du chef de la sécurité.

La fille du président, du même âge que l'épouse de ce dernier, entre dans ce lieu magique accompagnée de son époux. Ils sont suivis des autres passagers. Kirk LeMadelaine est maintenant d'attaque pour affronter tous les invités, même les plus exigeants, qui entrent là comme si c'était la cinquantième fois, qui veulent tout avoir sans attendre et ne pensent qu'à s'amuser. Seuls, les yeux du fils du président ne reviennent pas à LeMadelaine.

Rendu à l'épave avec ses directeurs artistiques, le Cigare fait immédiatement débuter les préparatifs scéniques. Jamais cirque n'a édifié un chapiteau d'une telle ampleur. Le plaisir de Thorp Sr. à jouer au producteur-metteur en scène n'a d'égal que l'envergure de son spectacle. Maintenant que tous ont passé le tourniquet, LeMadelaine rejoint l'équipe de montage. Le président, d'un certain âge, fatigué mais heureux comme un enfant comblé, demande à LeMadelaine de le mettre en contact avec la chambre de sa jeune épouse. Il désire l'informer que, bien que sa présence ne soit pas indispensable ici, il ne veut pas quitter son gros jouet. Puisque LeMadelaine s'est déjà pris d'affection pour Thorp et sa petite famille, il ne se gêne aucunement pour dire au président qu'il trouve sa jeune épouse magnifique, qu'il désire l'en féliciter et qu'avec sa permission, il ira lui faire le message en personne, fleurs en main en guise de bienvenue à l'Aqua-Musée de la part de toute l'équipe de sécurité. Le président regarde LeMadelaine un moment, fronce les sourcils et rit. Car tout homme d'affaires qu'il soit, il apprécie celui qui bouscule respectueusement les protocoles. Loin, bien loin d'être choqué mais plutôt flatté, le président approuve l'idée de LeMadelaine, le remercie pour son attitude, franche, authentique, et le laisse filer, rassuré de savoir que sa dame pourra se reposer en toute quiétude.

La plupart des chambres de luxe possèdent une baie vitrée donnant sur le réel fond marin d'un côté et un balcon avec splendide vue sur l'épave, de l'autre. Alors que la jeune épouse du président regarde les préparatifs scéniques du Télédon se mettre en branle, la main de Louis

Thorp Jr. lui remonte doucement la cuisse afin de sonder les formes intimes de son anatomie, cette fois, pas au profit des bas de nylon *Kim*.

Pendant qu'au lit, les jambes de la jeune femme sont enlacées dans les plaisirs de la chair, Louis Thorp Jr. ne manque pas de remarquer, à travers les portes vitrées, quelques deux cents mètres plus loin, en bas du balcon de la chambre, que les techniciens de scène sont en train d'élever au-dessus de l'épave, le super-écran géant. Celui-ci projettera l'image du *Titanic* au moment où il lance son premier feu de détresse alors que la proue est sur le point d'être complètement submergée.

LeMadelaine s'approche de la section des chambres. Il est arrêté par les bruits sourds d'une dispute entre une femme et un homme, lui semble-t-il. Il arrive à distinguer quelques mots criés par la voix féminine: «...et je t'ai attendu pendant plus d'une heure ! Où étais-tu ?» «J'ai été retardé !...» répond la voix masculine. «Tu ne m'as jamais dit que tu serais absent pour le Télédon !» reprend la voix féminine. Au moment où LeMadelaine réalise que le tumulte vient de la chambre de l'épouse du président, Louis Thorp Jr. en sort en trombe et se retrouve face à face avec lui. Ce n'est pas autant son apparition que les yeux de Thorp Jr. qui saisissent LeMadelaine comme un coup de fouet. Cela lui revient, maintenant. Ce sont des yeux identiques à ceux qu'il a déjà vus dans un mauvais rêve. Remarquant la stupeur du chef de la sécurité, Louis Jr. en profite pour s'éclipser, fuyant du même coup l'embarras que lui occasionne cette rencontre aussi imprévue qu'indésirable. Dans les secondes qui suivent, la jeune épouse sort elle aussi de la chambre, dans un état de forte colère, afin de poursuivre Louis Jr. Apercevant le gardien, elle fige, fait demi-tour et réintègre sa chambre aussi promptement qu'elle en est sortie. Toujours dans son état de stupeur, LeMadelaine se sent tout à coup aussi intelligent qu'une vieille mouche. Il ne sait plus trop s'il espère que le président oubliera de lui demander: «Elle a aimé les fleurs ?» ou s'il doit lui-même oublier à jamais qu'il vient de voir le fils du président sortir de la chambre de son adorable jeune belle-mère, afin de ne pas tirer de conclusions. Il se demande aussi s'il doit taire sa réflexion car il vient d'entendre que ce Louis Thorp Jr. sera absent lors du Télédon. Et puis... ces yeux, ces yeux noirs qui, l'espace d'une seconde, lui ont inspiré une frayeur glaciale. «Bon, eh bien pour les fleurs, on repassera !» lui suggère tout simplement son cerveau.

La grande surprise

À un jour et quelques heures du Télédon, c'est enfin le moment de la grande surprise. Pour les remercier d'être venus, le président invite ses mille cinq cents convives à venir, au moment de leur choix, à un cocktail-visite. Ce dernier sera offert sur une période de vingt-quatre heures et sera la chance, pour tout ce beau monde, de visiter l'épave en privé, avant le grand spectacle. C'est-à-dire, avant que la télévision officielle du Télédon ne diffuse. Enfin, espère-t-il. Les gens pourront boire et manger à leur guise avant ou après la visite.

Pour les riches, comme pour les pauvres lors de l'inauguration, les réactions, les effets que provoquent l'apparition et l'exploration de l'épave sont puissants: l'estomac bloqué, la respiration coupée, le coeur qui semble vouloir se mettre en grève et les yeux qui vont et viennent dans leur orbite comme les aiguilles d'un cadran fou. Pour les deux dernières heures de cette journée de visite, le président a insisté pour que tout le monde soit présent car il veut prendre la parole afin de formuler quelques remerciements et donner certaines petites directives concernant le Télédon. Quelques minutes avant le discours, les conversations, provoquées, stimulées par la récente visite de l'épave, sont émouvantes. Aidé par l'alcool et avec de grands gestes, chacun y va de son propre récit extraordinaire, étonnant. Ces sons de voix entremêlés, cette cacophonie, ce bavardage intense, quatre mille mètres sous l'eau, sont uniques, mémorables. Heureux, Thorp Sr. regarde son fils afin de partager le moment avec lui et d'en savourer l'effet. Louis Jr., comme préoccupé par autre chose, lui répond par un simple sourire. Soudain, des bruits sourds se font entendre. Comme des pas. Géants. Au début, les visiteurs ne les entendent pas vraiment, trop absorbés par leur bavardage sans fin. Presque symphonique. Et les bruits de pas s'intensifient. De plus en plus. Peu à peu les conversations s'estompent. Le nombre de visiteurs tendant l'oreille se multiplie aussi rapidement que diminuent les discussions. En quelques secondes, le silence laisse toute la place aux bruits de pas qui, de plus en plus forts, sont accompagnés d'une secousse, plus forte elle aussi à chaque pas. Et ça continue. Et ça s'intensifie. Du plaisir qu'ils goûtaient, tous passent à une perplexité manifeste. Abasourdis. Tous ne donnent plus qu'aux oreilles le droit d'exister. Les plus insolents permettent à un reste de courage de faire quelques blagues: «Tiens, voilà Godzilla !» ou «King Kong est-il invité ?» Mais personne ne les trouve drôles et, de toutes façons, on les entend à peine. Car il semble bien, effectivement, que quelque chose approche.

- Mais qu'est-ce que c'est que cette connerie ? s'énerve quelqu'un.

Les bruits de pas sont maintenant si forts qu'à chaque coup, l'imagination est sollicitée à un point tel que l'oeil s'attend déjà à voir les parois du plafond se fracasser. Les yeux se portent alors instinctivement vers l'énorme baie vitrée qui recouvre une bonne partie du plafond et d'un mur. Avec raison. S'il se passe quelque chose à l'extérieur, c'est par là qu'ils peuvent espérer voir quelque chose. D'autant plus que grâce aux puissants phares qui sont parties intégrantes des énormes structures de soutien extérieures, l'eau est moins noire. Les coups s'espacent un peu maintenant. Le rythme ralentit, mais ce n'est que pour permettre à la force de s'intensifier. Le nez en l'air, tous les visiteurs ont l'impression de recevoir l'avertissement du prochain coup, fatal peut-être. Ils n'osent même pas avoir peur de crainte que la peur elle-même appelle au pire. Mais, le temps de deviner, de vaticiner s'arrête ici. La patte géante d'une espèce de crustacé mal foutu, tordu, métallique et rouillé passe devant la grande baie vitrée dans un crissement qui irrite les tympans. Le moment est trop impressionnant. L'air inspiré se bloque dans les poumons. Dur comme du ciment. Il y a sûrement un moyen de ne pas croire à cette perspective alarmante. Apparaît maintenant la tête de cette... de ce dragon, de ce démon. Puis, apparaît une bonne partie du corps. Cela ressemble à un mélange d'araignée affreuse et de malformations membrées constituées des pitoyables restes de la poupe du *Titanic*, d'une taille rivalisant avec celle de l'Aqua-Musée tout entier. Cette vision doit certainement rendre sourd car plus personne n'entend les bruits de pas de la bête qui pourtant n'ont jamais cessé d'augmenter en intensité. Ce n'est que lorsqu'ils cessent complètement que les visiteurs mesurent à quel point ils étaient devenus puissants. Hypnotisés, tous demeurent les yeux rivés à la grande vitre. La bête, après un bref temps d'arrêt, tasse sa tête vers la vitre et semble regarder les visiteurs avec son gros oeil méchant, seule partie de cette entité qui semble véritablement organique. Trois autres puissants coups, très espacés, retentissent. Comme les trois coups qui annoncent l'ouverture du rideau au théâtre. Silence total. La suite des événements maintenant logique: le coup fatal. Les parois et ornements des plafonds prennent une dimension vivante, comme s'ils parlaient et disaient: «Tout aussi massifs que nous puissions être, nous ne sommes en place que pour quelques secondes encore !» Il ne manque que le rugissement, même ridicule, d'une bête féroce pour ajouter à la vraisemblance de ce dénouement. Les yeux des spectateurs atteignent leur degré d'ouverture maximum. Tous figent comme de la glace et ressentent ce qu'ils ont toujours cru ne jamais ressentir ici-bas: l'angoisse de l'impossible fuite devant une éventuelle catastrophe sous une couche d'eau de plus de quatre kilomètres. Le président, tout sourire, regarde à nouveau son fils pour une seconde approbation, ce dernier étant le seul au courant de la machination de son père. Mais, Louis Jr., au grand étonnement du président, est tout en sueurs. Au moment où il s'aperçoit que son père le regarde, Louis Jr. retire une main qu'il tenait sur un côté de sa poitrine, comme s'il avait de la difficulté à respirer, et feint un sourire affirmatif à son tour. Et, tout s'arrête d'un coup. La bête disparaît instantanément. Comme par magie. Une musique doucereuse remplace les affreux bruits de pas du monstre. La confusion est totale. Louis Thorp Sr., propriétaire de plusieurs multinationales, est un clown, un amuseur, un comédien, un solide pince-sans-rire. Il aime les artistes, surtout les acteurs. C'est pour ça qu'il leur offre un spectacle à leur mesure. Le monstre marin qui s'apprêtait à démolir l'Aqua-Musée, c'est une blague. Lorsqu'il a demandé à Kirk LeMadelaine qu'on fasse installer des caméras à l'extérieur, sur les flancs des super-structures, on se serait bien rendu compte que la duperie était aussi grossière qu'anodine si on y avait regardé d'un tout petit peu plus près. Le président a beau les avoir commandés pour que leur ressemblance soit trompeuse, il ne fallait pas être bien malin pour se rendre compte qu'il ne s'agissait pas de caméras mais bien de projecteurs. Ce sont ces petits projecteurs qui ont fait apparaître le monstre qui, en fait, n'était qu'un hologramme géant. Trop de James Bond voyeurs se baladent dans les parages ! Le président voulait la surprise complète. Thorp Sr. aime qu'on se souvienne des fêtes qu'il organise. Et cette fois-ci, c'est réussi. Fiston s'est chargé du son. L'effet est magistral. Presque dangereux. La douce musique l'accompagnant, le président prend la parole afin d'expliquer que ce qui vient de se passer n'est qu'une préparation à tout ce qui les attend demain, lors du Télédon. Surpris, un peu désorientés mais à nouveau heureux, les visiteurs terminent cette première fête. Le président étale sa joie devant sa petite famille et ceux qui l'entourent. Alors qu'il s'empresse d'aller voir la tête qu'affiche LeMadelaine, à qui il a garanti devant tous les dieux que les visiteurs n'auraient pas le temps de paniquer en vivant cette fausse catastrophe, il est interpellé par l'un de ses secrétaires.

- Monsieur Thorp, vous avez eu une communication !

- Qu'est-ce que c'était ? demande le président.

- Vous savez, ce différend entre la bannière pétrolière et cette importante ligne de croisière transatlantique ? C'est l'impasse. Ils vous attendent à Boston. Sinon, ils menacent de prendre une décision... seuls. Ils ne rigolent pas !

- Quoi ? Mais qu'est-ce qui leur prend ? Pourquoi ils remettent ça ? Mettez-moi en communication ! prie Thorp Sr.

- Excusez-moi, monsieur mais, nous avons déjà tenté de les joindre pour leur expliquer que ce n'était pas le moment. Rien à faire. Ils n'attendent même pas votre réponse.

Le président entre en si profonde réflexion qu'on pourrait croire à un voyage astral.

- Hum... Ils ont le génie de bien tomber, ceux-là !... Bon ! Dites quand même à ces corbeaux que j'arrive ! conclut le président.

Le président rejoint finalement ce cher LeMadelaine, tout pâle mais qui semble avoir compris et accepté que Thorp Sr. est un sorcier, improvisé peut-être, mais un sorcier exceptionnel.

- Cinq secondes de plus et c'est moi qui prenais la parole ! souffle LeMadelaine.

- Je vous avais bien dit qu'ils n'auraient pas le temps de paniquer ! Je savais que vous souffririez ! riposte le président qui ne manque pas de remercier LeMadelaine pour la bonne marche des derniers événements.

Du même coup, il lui apprend la mauvaise nouvelle de son départ imminent.

- Je n'arrive pas encore à me faire à l'idée que je n'assisterai pas au Télédon ! geint le président, déchiré.

Dans la salle d'exposition, maintenant vide de visiteurs, LeMadelaine, qui a l'habitude de scruter les erreurs de fonctionnement de son équipe, n'a que de bons mots à l'égard de ses deux cent douze agents, tous au boulot pour ce cocktail-visite. C'était l'ultime test pour le Télédon qui se déroulera désormais devant un public qui peut se dire : «On en a vu d'autres !»

- Tout est parfait ! n'a pas l'habitude de commenter LeMadelaine. Tout est parfait !

Un fond marin, plat. Rien ne se passe. Rien ne s'entend. Tout ce qu'il y a de plus banal.

Venant de cet univers insonore et incolore, un silement commence. Puis il augmente. Et augmente. Augmentation anormale de ce silement, lui-même anormal. Et ça sile, et ça augmente en puissance. Puissance insoutenable pour quiconque se trouverait là.

À une intensité maintenant où il est impossible d'imaginer rien d'autre que la fin de ce silement, tellement il est devenu violent, la proue du Titanic vient lourdement s'écraser dans la vase avec un fracas qui, du coup, ramène le silence qui a régné là depuis le début des temps. Puis, plus rien.

Un fond marin, plat. Rien ne se passe. Rien ne s'entend. Tout ce qu'il y a de plus banal. Avec une seule différence; commencent alors à s'écouler les toutes premières secondes du long repos dans lequel se fixe l'épave.

Fin du quatrième et dernier rêve.

L'expertise

L'avertisseur sonore de LeMadelaine le fait bondir hors de son lit. C'est la centrale qui lui demande de se rendre immédiatement dans une sorte d'antichambre qui mène à un tube d'accès par le sommet du musée. Un coin de la modeste pièce est maculé de sang et une équipe de secours est à soigner un agent de sécurité grièvement blessé et inconscient. Pendant que le blessé est installé sur une civière, un agent informe LeMadelaine que le pauvre homme s'est fait arracher la moitié de l'avant-bras et une oreille. Sans compter qu'il a une grande partie du dos gravement brûlée et le visage complètement tuméfié.

- Mais, par toutes les misères du monde, qu'est-ce qui s'est passé, ici ? gronde LeMadelaine en se dirigeant vers le blessé, espérant obtenir quelqu'indice ou réponse que ce soit, même s'il sait que ce dernier n'est pas en état de parler.

Malgré les pansements et le masque à oxygène, il reconnaît son vieux copain.

- Nom de Dieu ! C'est mon... Le Légionnaire ! C'est le Légionnaire ! rage LeMadelaine qui se retient pour ne pas étrangler tout ce qui bouge autour de lui.

Il regarde les infirmiers emporter le blessé à l'infirmerie et disparaît lui-même dans ses propres pensées.

- Voilà quelque chose qui va rehausser le niveau de la conversation ! Regardez-moi ça ! montre du doigt un autre agent.

Ce quelque chose a pour effet de sortir LeMadelaine de ses sombres pensées et de le faire entrer dans une vive stupeur. Un morceau de la dimension, de la profondeur et presque de la forme d'un ballon de football a été arraché de la petite baie vitrée. Heureusement, cette dernière est d'une épaisseur d'un peu plus d'un mètre. Mis à part le blessé, le communicateur portatif brisé et les minuscules éclats de ce verre, aucun indice de ce qui a pu se passer ne semble apparent. Ils font appel aux spécialistes déjà sur place pour faire, de toute urgence, une expertise du danger que représente la brèche. LeMadelaine demande à ce qu'on prenne contact avec les architectes et aussi avec l'ingénierie consultante en systèmes de sécurité de mégastructures architecturales, responsable de l'Aqua-Musée. Il fait ensuite parvenir un rapport ordi-photo de la baie vitrée endommagée à ces deux organismes et entre immédiatement en contact avec le président, sa fille et son fils afin de les informer de la situation.

- Mon Dieu ! Le Télédon ! s'exclame Louis Jr.

- Le Télédon, peu importe le Télédon ! Par tous les tonnerres ! S'il y a du danger, il faut faire évacuer immédiatement ! Qu'est-ce qu'on fait ? réplique le président, Louis Thorp Sr.

LeMadelaine répond qu'il n'y a effectivement aucune risque à prendre. Il ne peut aller plus avant dans son commentaire qu'un agent de sécurité lui annonce que monsieur Alex Tight est au bout du fil. Une pensée rapide traverse l'esprit de LeMadelaine, «Eh merde, pas lui !» Mais l'heure n'est pas à la critique. Tight confirme que bien qu'il faille remplacer cette baie vitrée sans tarder, il n'y a aucun danger pour le moment. Qu'il faudrait un tremblement de terre de force sept ou huit à l'échelle de Richter et même davantage, pour achever la lentille endommagée et provoquer une catastrophe mais, tous savent qu'il n'y a aucun danger de tremblement de terre actuellement. Et de toute façon, les quatre submersibles qui font la navette ne peuvent contenir que trois cents passagers chacun, ne permettant d'évacuer les individus qu'au bout de sept ou huit heures alors que l'ingénieur sera là en moins de quatre. «Il y aurait sûrement moyen de se serrer pour tous monter à bord et ne faire qu'une seule remontée.» pense LeMadelaine avant d'ordonner que les submersibles soient prêts, à tout hasard, puis il retombe dans ses pensées. Tous le regardent en silence, ce qui donne à LeMadelaine l'impression qu'ils entendent ses pensées se bousculer, dans le genre: «Vous n'allez pas me dire que la chose à laquelle on s'attend le moins va arriver ? C'est-à-dire, rien ! Vous n'allez pas me dire qu'il n'y a pas de situation d'urgence ? Que vous abandonnez l'idée de faire... je déteste ces mots: évacuer les deux mille personnes ?»

Un petit submersible arrive en temps prévu. Il emmène trois ingénieurs et un architecte. Quelqu'un est absent. L'ingénieur en chef, monsieur Tight, n'a pu venir. Il est remplacé par sa fille qui, de toute façon, serait venue même si son père eût été présent. Elle prend tout trop à coeur. LeMadelaine, qui passe de la joie que lui procure l'absence de Tight à la déception que la présence de sa fille lui apporte, conduit sans tarder l'équipe jusqu'à la brèche, hautain. Dans un silence froid et presque absolu, les nouveaux arrivants, analysent, scrutent, calculent, évaluent minutieusement les dégâts, ordinateurs miniatures et tout le matériel requis aidant. Le premier examen terminé, les anges écoutent pour entendre les constats attendus mais, rien. Rien de ce qui se pense ne se dit. Puis, après un conciliabule interminable et incompréhensible des quatre garants de la sécurité, on remballe les petits équipements magnifiques qui semblent tout solutionner à notre place. Anic, le regard au sol, s'approche de LeMadelaine, l'air de ne pas y être. Près de lui, elle lève la tête et le regarde droit dans les yeux.

- Alors ? demande LeMadelaine à une Anic qui demeure muette.

Après un autre court silence, elle fait simplement son constat, court, complet, et qui ressemble à celui déjà transmis par son père, puis se tait, mais continue à dévisager LeMadelaine.

Ce dernier est un peu surpris par l'attitude d'Anic.

- Vous êtes un imbécile, monsieur LeMadelaine ! De par votre position, n'êtes-vous pas celui qui ne doit courir aucun risque ? Comment pouvez-vous rester là, bien tranquille à attendre les résultats de nos analyses ? Vous êtes inconscient ou quoi ? Peut-être est-ce vous le réel problème, ici ! Avez-vous seulement cherché à savoir ce qui s'est passé ? L'homme pour qui vous avez le plus grand mépris vous a dit de ne rien faire et vous ne faites rien ! crie Anic qui pourtant retient sa colère.

- ... Pardon ? marmonne LeMadelaine.

- Bon ! Nous n'avons plus rien à faire ici ! Partons ! riposte Anic, incapable d'accepter cette insolence de LeMadelaine.

- Tout de suite ? demande un des ingénieurs.

- Mais... il y a des dispositions à prendre pour l'évaluation de la réparation de la baie vitrée, précise un autre.

- Vous n'avez qu'à vous arranger avec monsieur LeMadelaine ! Tout est si simple avec lui ! termine Anic, avant de sortir en trombe.

- Je ne comprends pas très bien ! confesse le président à LeMadelaine.

LeMadelaine déclare au président, pour abréger, qu'il peut poursuivre son projet de Télédon comme prévu. Il ajoute:

- Désolé que vous ne puissiez y assister ! À quelle heure comptez-vous partir ?

- Oh mais, j'y assisterai ! Ce matin, devant mon désarroi, mon fils m'a offert d'aller à Boston à ma place ! Je ne vais tout de même pas abandonner mon Télédon à quelques heures d'avis ! réagit le président.

- Il, il... Ah bon ? s'étonne LeMadelaine.

- En principe, c'est ma fille qui devrait y aller mais Louis tient à s'y rendre à ma place. Il a quelque chose à prouver ! C'est parfait ! ajoute Thorp Sr.

- Ah bon ! répète LeMadelaine.

- Monsieur LeMadelaine, pouvez-vous l'aider à organiser son départ ? De mon côté, je vais lui faire venir un hélico-jet ! lance le président.

- Euh, oui... Oui, monsieur, répond LeMadelaine, hagard.

LeMadelaine, qui se souvient avoir entendu Louis Jr. annoncer à la jeune épouse du président qu'il serait absent pour le Télédon, ne comprend plus rien. Par respect pour le président, il n'ose lui dire qu'il a vu son fils sortir de la chambre de son épouse alors que cette dernière était en furie. Décidément, ce sont tous des sorciers dans cette famille. Pas étonnant qu'ils soient à la tête d'entreprises aussi considérables.

- Euh... Vous pourriez prévenir votre fils qu'il peut profiter du submersible des ingénieurs. Ils quitteront eux aussi dans la prochaine heure, informe LeMadelaine.

- Parfait ! Je vais lui dire de faire vite ! se mandate le président.

- C'est ça ! C'est une bonne idée, répond LeMadelaine qui a un peu l'impression de dire le contraire de ce qu'il pense, se sentant soudainement un peu étourdi.

- Ça va, monsieur LeMadelaine ? lui demande Thorp Sr.

- Oui. Oui, merci. Je vous demande pardon, monsieur Thorp mais, il me semble que... Votre fils ne démontre-t-il pas une attitude un peu bizarre ou je ne sais quoi depuis son arrivée ici ?

- Monsieur LeMadelaine, mon fils n'a pas une attitude bizarre, ni inquiétante, ni rien de tout cela depuis qu'il est ici ! Vous semblez oublier que vous ne le connaissiez pas, avant ! Mon fils a des attitudes bizarres depuis toujours. Ce n'est pas pour rien qu'il n'est et ne sera jamais à la tête de mon entreprise. C'est un impatient. Et il a la bougeotte facile, comme vous pouvez le constater. Mais ne vous inquiétez pas, il a de drôles de lubies mais il n'est pas dangereux, dépeint le président.

- Ah bon. Je suis très rassuré ! ironise LeMadelaine qui s'apprête à quitter la pièce en tentant d'obtenir une télécommunication avec il ne sait plus trop qui.

L'invitation

Les deux ingénieurs, l'architecte et Anic se préparent à grimper à bord du petit submersible d'une dizaine de places qui va les remonter à la surface. Comme s'il se prenait, à lui seul, pour toutes les vedettes qui foulent présentement le sol de l'Aqua-Musée, Louis Thorp Jr. rejoint le groupe. LeMadelaine est le seul à remarquer qu'il transpire beaucoup. Comprenant qu'il ne saura jamais à qui il a affaire avec ce fils du président, LeMadelaine ne sait pas trop s'il est amusé ou soucieux de le voir partir. Son instinct lui crie d'aller lui faire la conversation mais, le problème, c'est qu'il ne sait absolument pas quoi lui dire. Il a juste envie, il ne sait pas pourquoi, de lui faire rater son départ. Lui vient même l'image, dans son cerveau, du gars qu'il attacherait à une chaise. Mais, il y a des moments où les émotions doivent crier leur détresse et c'est sur Anic qu'il va calmer son incontrôlable besoin de parler à quelqu'un, sachant bien qu'il sera accueilli froidement.

- Bonjour Mademoiselle !

- ... Bonjour.

- Je voudrais... je voudrais vous souhaiter un bon voyage de retour, risque-t-il.

- Ah bon... Merci.

Un silence.

- Écoutez mademoiselle, je pourrais vous parler un moment ?

- Oui.

- Euh... Pouvons-nous... Pouvons-nous aller par ici ? pointant un endroit un peu à l'écart des autres.

- Écoutez, je dois partir dans un moment ! lance-t-elle enfin, comme un semblant d'argument.

- Je sais. Mais nous avons un peu de temps, répond-il en lui montrant de la main, la direction à prendre.

Ils font quelques pas. LeMadelaine, pas très à l'aise, ne peut s'empêcher de se placer pour avoir Thorp Jr. dans son champ de vision.

- Mademoiselle Tight, si j'ai cru la parole de votre père lorsqu'il m'a dit que je n'avais pas à faire évacuer, c'est que je ne pouvais faire autrement que croire que... Je savais qu'il avait raison !

- Vous avez à ce point le besoin de vous confesser, monsieur LeMadelaine ? le regarde enfin, Anic.

- Non. C'est juste que... bredouille LeMadelaine en jetant plusieurs coups d'oeil au fils du président.

L'attitude supérieure que prend Louis Jr. ne cache pas sa nervosité à LeMadelaine.

- Écoutez ! Vous n'en savez rien du tout ! Vous ne vouliez tout simplement pas risquer de faire évacuer pour rien ! Je trouve ça... elle ne termine pas sa phrase.

- Mademoiselle, il ne vous est jamais venu à l'idée qu'il pouvait être tout aussi pénible d'avoir raison dans de telles circonstances ? Il n'était pas question de créer une panique inutile ! Et c'est ce que j'ai fait ! répond-il.

- D'accord, bravo, félicitations ! Que voulez-vous de moi, au juste ? comme si elle acceptait finalement le dialogue.

Bien qu'en pleine confusion, il ne veut pas lui avouer la véritable raison pour laquelle il lui fait la conversation. Le problème, c'est que l'inspiration lui manque. Il n'arrive à rien formuler.

- Écoutez, si vous essayez de passer par moi pour avoir des excuses de mon père ou je ne sais trop quoi, vous tombez mal ! s'impatiente Anic.

LeMadelaine s'apprête à répondre quelque chose mais elle ne lui en laisse pas le temps.

- Et puis en plus de ça, monsieur LeMadelaine, c'est moi qui vous demande de m'excuser. Les hommes comme vous, je les déteste !

Elle amorce un mouvement pour s'éloigner de lui mais, l'orgueil aidant, il tente un ultime stratagème qu'on pourrait très bien qualifier de précipité, de peu convaincant.

- Mademoiselle ! Mademoiselle, vous avez raison quand vous vous dites que...

Leur attention est captée par des signaux lumineux qui annoncent que le petit groupe de passagers va maintenant embarquer.

- Bon ! Notre submersible est prêt ! Je dois y aller ! se réjouit Anic.

Ces signaux donnent l'impression à LeMadelaine qu'il se trouve face au Méchant Loup qui s'apprête à le dévorer. Objectif raté. C'est une raison d'empêcher Thorp Jr. de partir qu'il aurait voulu trouver, inventer, le temps de l'entretien, réussi ou raté, avec Anic. Elle prend congé de son interlocuteur afin de se diriger vers les passagers qui se lèvent pour, dans les prochaines secondes, prendre place à bord. Mais, avant qu'elle ne s'éloigne trop de LeMadelaine...

- Mademoiselle Tight !... chuchote-il presque.

Anic se retourne, agacée. LeMadelaine avale sa salive et un peu de son orgueil.

- Me permettez-vous de vous inviter à la soirée du Télédon ? déclare-t-il.

- Pardon ? échappe Anic, qui n'en croit pas ses oreilles.

Elle ne peut s'empêcher d'éclater de rire.

- Me permettez-vous de vous inviter à la soirée du Télédon ? répète-t-il.

- Mais, qui êtes-vous ? Qu'est-ce qui vous arrive ? Vous n'avez qu'une seule envie et c'est de me balancer une bonne paire de claques en plein visage ! Nous ne nous sommes vus que deux fois au cours de notre vie et à chaque fois, vous ne ratez pas l'occasion de me jeter à la face tout le mépris que vous avez pour mon père ! Je ne sais pas à quoi vous vous entêtez de faire allusion mais il a fait ce qu'il a fait et je n'y suis pour rien. Cessez de vous en prendre à moi, d'accord ? Alors, s'il vous plaît, laissez-moi tranquille ! éclate Anic avant de se retourner et de s'approcher de la porte du submersible.

C'est avec abattement que LeMadelaine voit Thorp Jr. y entrer le premier, suivi des ingénieurs et de l'architecte.

- C'est la maison qui invite ! crie LeMadelaine que ne gêne plus le fait que tous entendent.

Échec encore. Anic, qui ne l'écoute plus, passe la petite porte et disparaît dans l'original taxi. Avant qu'on ne referme la porte, LeMadelaine accourt et n'y entre que la tête. Il est nez à nez avec presque tout le monde.

- Et, je ne sais pas pourquoi mais, je crois que j'ai besoin de vous ! cherchant, puis trouvant des yeux une Anic estomaquée.

Voilà des mots qu'elle n'est pas du tout certaine d'avoir envie d'entendre.

- Pourquoi ? risque-t-elle, après une bonne respiration empreinte de lassitude.

- Je ne sais pas ! C'est écrit là, et là ! montrant son ventre et sa tête.

Coup de génie, il vient, sans le savoir, de décrire une bonne partie du fonctionnement psychique d'Anic.

- Dans cette affaire, il y a des éléments qui m'échappent en ce moment. J'ai l'impression... l'impression que je pourrais mieux les saisir si vous restiez avec moi encore quelques temps !... Mais ça n'a peut-être plus d'importance ! Bon retour ! termine LeMadelaine avant que sa tête ne disparaisse hors de l'habitacle.

Les minutes qui précèdent le processus de fermeture de la petite porte massive, se passent dans un silence aussi profond que ne l'est l'Aqua-Musée. Tous ont envie de dévisager Anic mais personne n'ose. Personne, sauf Louis Thorp Jr. «Je n'arrive pas à le croire !» pense Anic. Puis elle a un petit rire.

- Un moment ! crie Anic, stoppant du même coup le processus de fermeture de la porte.

Juste à temps pour le Télédon

La principale raison pour laquelle le capitaine du *Titanic II* n'est pas descendu se manifeste à la surface de l'eau. En effet, comme l'a déjà mentionné le capitaine au président, l'ouverture du Télédon coïncide avec l'arrivée du colossal *Freedom* à la plate-forme d'accueil de surface. Dans trente-six heures, ce navire, qui, à lui seul, vaut tous les spectacles, emmènera toute la pompeuse clientèle à New York.

C'est maintenant le moment. La grande salle où est exposée l'épave, se remplit à nouveau mais, pour la première fois, le *Titanic* n'est pas la vedette. Les grandes tables rondes, utilisées lors du cocktail-visite, ont fait place à des gradins pour cette seule soirée. L'énorme scène regorge de superbes éléments volontairement énigmatiques qui ont pour mission de promettre un spectacle d'envergure et digne de toutes les émotions. LeMadelaine, en fonction dans la grande salle, accompagne quelques invités de marque. Il raconte à Anic les événements survenus au cocktail-visite de la veille et lui demande comment elle aurait réagi devant une telle situation.

- Pourquoi mon père vous perturbe-t-il à ce point ? demande Anic que l'histoire de l'hologramme géant n'intéresse pas.

- Mademoiselle Tight, n'avez-vous jamais perdu un être cher ? demande, à son tour, LeMadelaine après un long silence.

- Est-ce que je dois prendre ça pour une réponse ? relance Anic.

- Oui. Et non. Vous devriez avoir une demi-soeur !

- Ça, je sais ! arrête-t-elle.

- ... On est d'la parenté vous et moi !

- Ça, ça m'étonnerait ! répond Anic.

- Pourtant, vous et moi devrions avoir une demi-soeur du nom d'Adélya... révèle-t-il.

- Adélya ? Attendez... C'était vous son demi-frère ?... s'étonne Anic.

- Elle aurait environ sept ans de plus que vous, précise LeMadelaine.

- ...

- Pfa ! Il ne vous a rien dit, le renard ! énonce LeMadelaine, un peu pour lui-même.

- Éh ! C'est de mon père que vous parlez ? s'indigne Anic.

- Vous ne vous êtes jamais demandé ce qu'il était advenu d'elle ? sonde LeMadelaine.

- Si ! Papa m'a dit qu'il avait perdu sa fille dans un accident mais il n'a jamais voulu m'en dire davantage. Vous en savez plus long ? retourne Anic.

- Un peu ! Ma mère s'était présentée à votre père parce qu'il avait besoin d'une nouvelle assistante. J'avais sept ans. Ils devinrent amants et ma mère se mit à rêver d'une carrière d'ingénieur pour moi. Ça ne me disait rien et je n'étais pas sûr d'aimer cette nouvelle flamme de ma mère. J'étais plutôt malheureux dans cette affaire et j'en arrivais même à leur en vouloir de s'être rencontrés. Cet homme me donnait une impression de je ne sais trop quoi, une impression déplaisante ! Pauvre lui, malgré les implorations de ma mère, il ne voulait rien savoir de faire de moi un ingénieur, raconte LeMadelaine.

- Ça, je connais ! insère Anic.

- Puis, Adélya est venue au monde. Elle était pour moi la confirmation que tout ce petit univers était loin de me convenir. Les parents, trop occupés qu'ils étaient tous les deux, c'est très souvent moi qui devais m'occuper de l'enfant. Puis, insidieusement, ma vie prit un sens bien différent de celui qu'elle avait depuis le départ de mon père. Adélya transformait la vie. Il ne m'a fallu que deux ans pour être complètement fou de ce petit enfant. Pour m'assurer de ne jamais être éloigné d'elle, je suis devenu, pour les deux intéressés, le plus docile des enfants et allai même jusqu'à démontrer à ma mère, chère ambassadrice, que la carrière d'ingénieur m'intéressait. Les deux sont tombés dans mon piège, jusqu'aux oreilles. Moi aussi, d'ailleurs. Bien que peu enthousiaste à l'idée de m'initier à tous ses secrets magnifiques et interdits, monsieur votre père, fin stratège, voyait bien qu'il n'aurait pas à se mouiller avant quelques bonnes années. Ça lui laissait le temps de se défiler. Pour ma part, j'étais bien résolu à tenir ma démonstration jusqu'à la fin, détaille LeMadelaine.

- Ça, je connais ! répète-t-elle.

- Cette enfant me faisait vibrer les entrailles de plaisir. Je ne savais pas trop ce qui m'arrivait. Je n'avais que neuf ans. Neuf ans ! J'arrivais à imaginer qu'on ne pouvait pas vivre de plus grand bonheur que le mien. Au début, ils ont eu peur et croyaient que j'exagérais un peu, mais ils ont vite réalisé qu'Adélya était devenue le centre de mon univers. Ils en étaient bien contents après tout. Ha ! Je présentais une attitude de petit garçon bien vivant, bien réceptif, à l'écoute de tout.

Du petit gars renfermé et maussade que j'étais, je suis devenu ouvert, jovial et même bavard. Vous savez, je peux dire que cette jolie petite rouquine représentait tout pour moi. Elle me rendait heureux. Lorsque je finissais de l'habiller et que je lui faisais une petite coiffure avec une petite mèche en l'air, en jet de baleine comme on dit, je crois que... Oh, de toute ma vie, je n'arriverai jamais à vraiment décrire ce que je ressentais à ce moment ! commente LeMadelaine que l'émotion étreint à la gorge au point d'avoir presque de la difficulté à respirer.

- Oui. Et mon père dans tout ça ? mord Anic.

- Oui. Votre père... Un jour, la petite, notre mère et moi sommes allés rejoindre monsieur Tight en voiture sport. Il terminait la négociation d'un important projet. Il avait beaucoup bu et la petite fête, prévue pour l'occasion, n'était pas terminée. Seuls ma mère et moi sommes descendus de la voiture. Je me souviendrai longtemps qu'il présentait toujours ma mère, son assistante, à ceux qui ne la connaissaient pas encore et qu'il ne disait jamais un mot à mon sujet. Il y avait des moments où, pour lui, je n'étais qu'une statue et à d'autres, il ne se gênait pas pour venir chercher ma complicité et me faire faire des bêtises. Ainsi, au moment où ma mère s'est éloignée pour aller nous chercher des boissons gazeuses, Alex... euh... votre père m'a demandé d'aller m'asseoir au volant de la petite voiture, d'en faire démarrer le moteur et de rouler quelques mètres. Il m'avait déjà fait conduire auparavant et là, devant tout le monde, il avait parié que je pouvais conduire la voiture à toute allure. Il voulait impressionner et pour ça, il avait sa petite idée en tête. Il m'a juste soufflé à l'oreille que quoi qu'il arrive, je ne devais pas m'inquiéter. Je mis le moteur en marche puis passai le premier rapport. À peine ai-je avancé de deux mètres que la voiture s'emballe, fait des virages, des démarrages et des droits rapides. J'ai tenté de la retenir, de freiner. Je n'avais plus aucun contrôle. Je ne comprenais rien ! J'aurais facilement pu sauter en bas de la voiture mais il n'était pas question que j'y laisse ma pauvre petite soeur seule. D'autant plus qu'elle n'a pas tardé à crier sa peur. Quelque chose devait sûrement diriger l'automobile à distance car ce qui se passait n'avait aucun sens. Et ce quelque chose ne devait pas avoir une totale visibilité autour de nous car une autre voiture, qui n'aurait pas dû être là, nous a frappé de plein fouet dans un angle de quatre-vingt-dix degrés, directement dans la portière droite où était assise Adélya. Notre voiture était si légère qu'elle a été retournée sur elle-même puis s'est tout simplement immobilisée. Je me souviens encore avoir vu les lampadaires passer de haut en bas en traçant un demi-cercle, puis des pieds, à l'envers, accourir vers nous. La petite Adélya était tombée sur moi. Quand je l'ai vue, il ne m'a fallu qu'un instant pour comprendre que je n'aurais plus de panique, plus jamais de montée d'adrénaline à son sujet. Cette image a fait de moi un demi-mort. Elle avait le cou cassé, soupire profondément LeMadelaine.

Ni lui, ni Anic n'entendent la foule, pourtant bruyante, applaudir quelques changements d'atmosphères scéniques qu'on a pris pour le début du spectacle alors qu'il n'en est rien. Cette courte mais accablante histoire a rendu leurs oreilles insensibles pour un moment.

- Il contrôlait la voiture d'une seule main grâce à un imbécile de petit bidule qu'il cachait dans sa poche de veston, le con ! reprend lentement LeMadelaine qui parle moins à Anic qu'à lui-même.

Anic n'existe plus. Elle voudrait protester, compatir, engueuler, pleurer, déchirer ou n'importe quoi. Tout à la fois. Mais rien ne sort. Heureusement. Pendant une seconde, elle revoit dans sa tête l'image, la vision, cet instant où elle aperçut l'épave pour la toute première fois dans son nouvel univers sec. Des instants comme ceux-ci s'accompagnent toujours d'un très grand trou dans l'estomac. Lui reviennent aussi des moments comme celui où elle discutait de la solidité de l'Aqua-Musée avec ses assistants, alors qu'elle ne voulait pas s'avouer qu'elle sentait souvent une main, peut-être froide, se poser sur son épaule. Pourtant, il n'y avait rien, elle ne voyait rien.

- Et c'est moi qui ai écopé ! Pendant près de deux ans, pas un mot n'est sorti de ma bouche ! ajoute LeMadelaine.

- Vous voulez dire qu'il a caché sa culpabilité ? demande Anic, interdite.

- Et il l'a fait retomber sur moi. Il fallait bien qu'il sauve sa peau. Il savait que je ne connaissais pas la possibilité de la conduite à distance du véhicule. En fait, personne ne l'était. Il a bien admis m'avoir demandé de conduire la voiture mais jamais d'avoir commandé les pirouettes dont les autres ont été témoins. Tout juste de retour sur les lieux, ma mère, elle seule, l'a vu retirer un objet, une petite pièce du moteur, et la faire disparaître dans ses vêtements. Le capot du moteur étant presqu'arraché, il ne lui a pas été très difficile de l'atteindre et de l'enlever. C'était une petite tête magnétique qui recevait les ondes du téléguidage de l'auto. Une fois cette pièce indispensable enlevée, il n'existait alors plus aucune évidence du trucage, bien que tout le reste du système fut en place. Je me suis longtemps demandé, par la suite, pourquoi il était allé toucher au moteur à peine quelques secondes après avoir constaté la gravité du choc pour la petite. De mon état à moi, il s'est à peine soucié. Encore ! Bien sûr, j'ai été puni, mais vu mon âge, j'avais onze ans, on ne m'a pas tenu responsable de cette mort. C'est sans doute là-dessus que monsieur Tight avait compté.

- ...

- Il a été d'une analyse remarquablement rapide ! Il savait qu'il était foutu si on découvrait ce qui s'était réellement passé. Reconnu comme étant la cause de la mort de la petite, il en devenait criminellement responsable. Un homme dans sa position ne pouvait se permettre un accident provoqué par un tel manque de jugement. Pas un spécialiste... je veux dire, pas le spécialiste en ingénierie de la sécurité architecturale ! Après tout, il conduisait... ivre. De plus, il savait que les assurances et la régie des transports ne permettent pas aux enfants ou à des personnes non-autorisées d'être à bord d'un véhicile au moment où celui-ci est guidé à distance. L'enquête n'est jamais allée vraiment loin. Et, vu sa réputation, le verdict fut... n'importe quoi, relate froidement LeMadelaine.

- ...

- Après une vingtaine de mois, ils voyaient bien que je ne me remettais pas du tout du décès de la petite. Ma mère surtout voyait à quel point j'étais brisé. Elle intensifia ses démarches auprès de votre père pour que je m'intéresse doublement à la même carrière que lui. Ah ? Soudain, il était d'accord ! Il avait fallu qu'Adélya se fasse tuer, le c... Excusez-moi ! Alors il décida enfin, et même avec énergie, de me prendre sous son aile... professionnelle et de mousser ma future carrière. Moi, je décrochai complètement. De la carrière et de tout. Le pauvre ! Là encore, je déjouais ses plans. Il avait, plutôt maladroitement et à contrecoeur, annoncé à tous que je serais son successeur. Il se sentait drôlement coupable, ajoute-t-il.

- Par tous les diables ! C'est donc pour ça que l'idée de m'aider lui déplaisait tant ! Moi qui croyais que c'était pour me motiver à foncer comme une locomotive ! En fait, si je comprends bien, il ne voulait tout simplement pas que j'épouse cette carrière !

- Possible. Écoeuré, je disparus complètement, sans laisser de trace, pour au moins quinze ans. J'ai commencé à travailler comme agent de sécurité dans des manifestations de grande envergure. Aujourd'hui, j'ai ma propre entreprise. Je suis retourné dire à ma mère que je ne lui en voulais plus mais que lui, je ne lui pardonnerais jamais. Il l'avait déjà quittée à ce moment et vous, vous deviez avoir autour de sept ou huit ans. Lui dire aussi que je me vengerais peut-être si l'occasion se présentait. Je sentais que ma mère aurait eu des choses à me dire, elle aussi, mais mon attitude un peu rouge l'en a empêchée, sans doute. Puis, je repartis pour quinze années encore. Il y a trois ans, je me suis rendu à son chevet. Elle était mourante. C'est là qu'elle m'a remis cet objet. Une petite tête magnétique qui m'expliquait enfin pourquoi cette maudite voiture que je n'avais pu contrôler au moment de l'accident, s'était animée toute seule. Elle m'a tout raconté. Ça a failli me tuer. Elle prétextait n'avoir rien dit parce qu'elle aimait votre père. Et pour protéger mon avenir. Mon putain d'avenir ! Avant qu'elle ne nous quitte, j'ai pu lui répéter que je ne lui en voulais pas à elle mais que je ne savais pas si l'envie de lui arracher la tête ne me chatouillerait pas si je me retrouvais en contact avec... avec lui ! Elle m'a laissé en héritage ma haine et ce fameux objet que je suis moi-même allé remettre à votre père, la nuit suivante. Quelque chose d'incontournable me poussait à le lui montrer. Quelque chose de plus mystérieux que la vengeance m'habitait. Incroyable, je me demande même si parfois je n'ai pas vu cet objet s'animer, presque se déplacer sur ma table. Quand je le lui ai remis, devant vous, il a compris que je savais ! Vous vous souvenez, ce fameux soir, au bord du lac ? De voir ses yeux changer de couleur sous les reflets nocturnes du lac fut pour moi une demi-vengeance !

- Pourquoi n'êtes-vous pas allé compromettre son banquet le lendemain ? demande Anic.

- J'y ai pensé ! Vous imaginez le coup que j'aurais porté à la crédibilité de votre nom ? Mais cela ne m'aurait pas ramené ma petite soeur. Et je savais que ma simple visite, chez vous, allait le démolir. Il a quand même dû être terrifié à l'idée que je me présente à son banquet d'honneur, répond-il.

- C'est donc ça la frayeur que je lisais dans ses yeux lorsqu'il était sur la tribune ! Je crois que vous l'avez vraiment effrayé. Après votre visite, il est reparti sur l'eau, la nuit, et c'est sans doute à ce moment qu'il a décidé de prendre sa retraite car il était complètement un autre homme lorsque je l'ai revu, le matin. Quel cauchemar il a dû vivre sur l'eau pour en arriver à ça ! se rappelle-t-elle.

- Hum... Je lui en ai voulu longtemps et puis après, j'ai cessé. Cessé d'en vouloir à tout le monde, en fait. Alors j'ai simplement souhaité ne plus jamais le revoir. Même là, je n'ai pas été exaucé ! dit LeMadelaine.

Émue, attendrie, Anic voudrait ajouter qu'il est triste de vivre une blessure qui ne guérit pas, mais il est plus sûr de ne pas dire de bêtises quand on garde le silence.

- ... deuil permanent. Je n'aurai plus envie de... Je le sens. Le romantisme est parti avec elle, dit-il.

- Adélya. J'essaie juste de m'imaginer une petite soeur...

- Unique Juliette.

- ...

- Moi vivant, je ne suis même pas le serviteur d'un Roméo, chuchotte LeMadelaine.

Le bruit du public reprend brutalement son intensité normale. LeMadelaine prend une grande respiration.

- Vous dites que votre père avait décidé de prendre sa retraite. Comment se fait-il qu'il se soit retrouvé sur ce projet-ci ?

- Là encore, je croyais que c'était moi qui l'avais fait changer d'idée. Au fond, il devait avoir tellement envie de le faire qu'il s'est servi de moi, faisant croire qu'il s'était laissé prendre à mon piège ! s'explique Anic, un peu à elle-même.

Elle échappe une larme, bien que son visage demeure très calme.

- Je...

- Mais non, la rassure LeMadelaine.

- Dire qu'il ne m'a jamais montré une seule photo de cette petite fille ! Elle devait être adorable, suppose Anic.

- ...

- Il a dû vouloir tout effacer de sa mémoire. Je réalise tout à coup qu'il n'est pas nécessairement l'homme imperturbable et parfait qu'il a toujours voulu laisser paraître. Ce que je n'arrive pas à m'expliquer, c'est pourquoi j'avais tant besoin qu'il soit ainsi !

- Vous savez, moi aussi, avant, j'arrivais à l'admirer par moment, avoue LeMadelaine.

- ... Bon ! Je crois que j'ai envie que ce spectacle commence maintenant ! lance-t-elle dans un petit rire que couronnent quelques larmes.

Elle tente de les voiler en sortant un petit sac de croustilles qu'elle traîne en permanence.

À une vingtaine de minutes de l'ouverture du Télédon, on appelle LeMadelaine afin qu'il se rende à la clinique car le Légionnaire a repris conscience. Anic le suit. Pendant qu'il demande que le président soit aussi averti, LeMadelaine prévient Anic qu'elle va rater le début du spectacle si elle l'accompagne. Elle répond qu'elle n'est pas venue ici pour ça.

Le pauvre Légionnaire délire quelque peu. Bien que sa respiration soit difficile, il s'agite de plus en plus. L'accident l'a rendu sourd.

- Avec la musique !... Ça va s'enclencher en même temps ! souffle le Légionnaire, en regardant l'infirmier droit dans les yeux.

Ce dernier se demande s'il doit lui injecter maintenant la dose de morphine qui pourrait le soulager.

- Je ne sais pas de quoi il parle ! Depuis son réveil, il répète des trucs que je ne comprends pas ! informe le médecin.

LeMadelaine s'approche un peu du Légionnaire.

- L'électricité ! C'est un malade ! Il ne faut pas commencer ! Il l'a mise en prise directe ! geint le Légionnaire qui fait fi de la douleur qu'il endure.

Il s'agite encore un peu plus sous les yeux de l'infirmier qui a l'impression de recevoir des ordres de l'aiguille de sa seringue. Les spasmes qui émanent du corps du blessé trahissent le martyre qu'il endure. Il n'arrive même pas à tousser. LeMadelaine s'approche tout près et tente d'entrer en contact avec lui. Tout de suite, le Légionnaire agrippe le bras de LeMadelaine et, reconnaissant son vieil ami, se calme un peu.

- Il faut demander pour l'électricité ! Avertissez-les ! Je n'aurais pas dû y aller tout seul... Il a tout prévu, le salaud ! lance le Légionnaire en serrant trop fort le bras de LeMadelaine.

Puis, le Légionnaire abandonne toute pression sans toutefois laisser le bras de LeMadelaine. Le blessé respire trop fortement et devient incompréhensible dans les propos qu'il lance par petites bribes. Seuls des mots comme *tout de suite* ou *impératif* ou encore le prénom de son ami, deviennent alors perceptibles. Consterné, LeMadelaine regarde le médecin avec des yeux qui crient: «Que peut-on faire pour l'aider ?» Car si on injecte la morphine maintenant, bien sûr la douleur sera atténuée mais le patient deviendra un peu perdu, comme inconscient. On aurait à peine dix minutes pour un discours un peu cohérent avant qu'il ne tombe dans un état comateux pour peut-être douze heures, qu'il perde conscience ou non. L'infirmier s'apprête à injecter la morphine pendant que LeMadelaine essaie d'établir une courte mais révélatrice communication, espère-t-il.

- Marc ?... Marc ? Qu'est-ce qui s'est passé ? As-tu vu quelqu'un ?

Avec une difficulté d'élocution majeure et une haleine fortement sanguine, le Légionnaire révèle qu'un jeune cadre ou homme d'affaires, lui a-t-il semblé, a posé une bombe. Du plastique.

- Plastique ? Qui ? Qui ? s'énerve LeMadelaine.

- J'aurais dû appeler tout de suite ! Il devait avoir tout ça dans ses poches ! Je ne le connais pas. C'est de ma faute ! Quelle heure est-il ? Ils ne doivent pas rester ici ! Je crois savoir de qui il s'agit ! réagit faiblement le Légionnaire qui, bien qu'il n'entende pas les questions, finit curieusement par y répondre.

LeMadelaine tente de trouver le fil conducteur. Il aurait bien une dizaine de questions à poser à son camarade, mais Anic le calme, permettant ainsi au blessé de continuer.

- C'est un homme habillé... On ne voyait rien. Tu sais, le dimanche... ou en un premier... en costume... C'est d'ma faute ! J'aurais jamais dû... tout seul ! répand le Légionnaire.

Confus parce que trop d'idées se bousculent dans sa tête, le Légionnaire se rend compte qu'il n'est pas très clair et reconnaît aussi l'urgence de bien transmettre l'information. Il se convainc de parler lentement car il doit, en même temps, lutter pour garder un peu de lucidité. Avec gestes, temps et tout le support possible de la part de LeMadelaine, le Légionnaire réussit à raconter qu'il a surpris un homme au moment où celui-ci venait tout juste d'installer une bombe à retardement. Le Légionnaire regarde LeMadelaine avec une nouvelle intensité. LeMadelaine en profite pour toucher, le plus doucement possible, l'épaule de son camarade afin de bien lui permettre de lire sur ses lèvres: «Marc, essaie de tout me raconter pour que je te comprenne. Depuis le début ! As-tu une idée de qui ça peut être ?» Le Légionnaire entame sa réponse quand un gardien appelle LeMadelaine de la grande salle pour lui demander s'il y a des directives spécifiques en rapport avec le Télédon qui commence à l'instant. LeMadelaine répond qu'il ne veut pas être dérangé pour le moment. Puis il se ravise et demande à son interlocuteur d'attendre un petit moment, question de réfléchir quelques secondes. Sans être vraiment attentif aux bruits de fond qui proviennent de son communicateur portatif, de la salle de spectacle, en fait, LeMadelaine entend le maître de cérémonie annoncer: «Mesdames et Messieurs, tenez-vous bien ! Voici enfin le spectacle le plus mystérieux, le plus grandiose jamais vu !...» Puis, LeMadelaine a une rapide pensée du genre: «Mystérieux... Bah, il peut bien arriver n'importe quoi, tant qu'on n'est pas dans le noir !» Mais, bien que la kénophobie soit son unique handicap, cette pensée ne l'aide en rien à voir clair dans ses idées puisqu'il ne sait pas vraiment ce qu'il cherche. Il transmet alors à son interlocuteur qu'il n'y a rien à signaler, que tout doit continuer de façon normale. Alors que le Légionnaire n'a plus l'attention de son ami pour le début de son récit, LeMadelaine perçoit un petit bruit anormal. Faible. Il demande à Anic si elle entend quelque chose. Elle ne peut répondre car elle est suspendue aux lèvres du Légionnaire qui, abusant des forces qui vont bientôt le trahir à nouveau, a déjà répondu qu'effectivement il a une idée de qui pourrait être le malfaiteur, car le jour où les invités débarquèrent du *Titanic II*, il a remarqué un homme quitter le groupe pour se rendre rapidement à l'ascenseur qui mène aux sections supérieures du musée, là où personne n'est autorisé à aller. Mais, cet individu est disparu trop vite et, occupé comme il l'était à superviser les déplacements des invités nouvellement débarqués, le Légionnaire l'a perdu de vue. Aussitôt qu'il a pu, il a décidé d'y faire une ronde, commettant l'erreur d'y aller seul. Rendu en haut, le Légionnaire ne voyait toujours rien. Que des formes fantastiques constituant ce qu'on pourrait appeler la voûte de l'édifice. Puis, il entendit des bruits légers dont l'origine était facile à retracer. Il s'est rendu à une petite pièce d'accueil, qui peut servir de sas, et découvrit, relié à un léger récepteur d'ondes, un tout petit morceau de plastique, plus petit qu'un dé, collé à la modeste baie vitrée. Retirant le communicateur portatif de sa ceinture, le Légionnaire voulut appeler la centrale mais fut frappé par derrière. Il tomba au sol et, bien entraîné, feignit d'être inconscient. Cela lui permit de voir son agresseur s'emparer du communicateur portatif échappé et de le rendre inutilisable. Du coup, le Légionnaire reconnut son homme et vit qu'il avait affaire à quelque membre de la haute direction. Au moment où l'agresseur fut distrait par l'urgence de faire disparaître le communicateur, le Légionnaire, encore étourdi et le front ensanglanté, se leva d'un bond pour se jeter sur le déclencheur d'un signal que pouvait recevoir la console de sécurité. L'agresseur s'élança à son tour et attrapa le Légionnaire de justesse. S'en suivit un corps à corps plutôt malhabile, ni l'un ni l'autre n'étant initié au combat. Les agents de sécurité n'ont pas d'arme mais, comme les policiers, portent parfois une lampe de poche. Le Légionnaire, moins rapide parce que plus âgé, eut le réflexe de libérer sa lampe pour en frapper son adversaire au visage. Surpris, l'agresseur, très agile, évita assez bien les coups. Voyant qu'il n'arrivait pas à atteindre la tête de son adversaire, le Légionnaire changea sa tactique et frappa avec puissance, plusieurs coups dans les côtes de l'assaillant qui ne s'attendait pas à cette nouvelle et rapide stratégie. La douleur lui faisant presque perdre souffle et contenance, l'agresseur, dans un ultime geste de colère nourrie par la frustration, arracha la lampe des mains du Légionnaire et le frappa sauvagement au visage jusqu'à ce qu'il perde conscience et s'écrase au sol.

- ... Et c'est tout ? demande LeMadelaine, insatisfait.

Soutenu par Anic, le Légionnaire réussit plus ou moins à terminer son histoire.

- Le salaud a dû se tordre de douleur car je suis bien persuadé de lui avoir brisé une côte ou deux ! Il devait être bien content de ne pas avoir été atteint au visage car aucune explication n'aurait été valable pour excuser de telles blessures ! Si j'avais pu le blesser au visage, ça aurait certainement contrecarré son projet ! décrit le Légionnaire dans un soudain moment de lucidité.

- Quel projet ? s'inquiète LeMadelaine.

- C'est... au moment où il m'attachait, à quelques centimètres même de la bombe, qu'il m'a tout raconté. Le fumier s'est servi des bruits de l'hologramme géant pour la faire exploser sans qu'elle ne soit entendue et surtout pour être lui-même présent au cocktail-visite au moment de la détonation, comme si de rien n'était ! marmonne le Légionnaire dont l'état est redevenu aussi stable qu'une chaise à deux pattes.

- Quel projet ? maugrée LeMadelaine qui secoue le Légionnaire tout en refusant de voir que ce dernier s'apprête à retourner au pays des rêves.

Devinant qu'il n'aura plus de réponse cohérente, LeMadelaine, les sens aiguisés comme ceux d'un chat, lève le nez pour vérifier si le petit bruit anormal est toujours présent. Oui. À n'en pas douter. C'est alors qu'il remarque que le président est appuyé au cadre de la porte.

- C'est donc pour ça qu'il était nerveux lors du cocktail-visite ! Je me demandais bien pourquoi il transpirait autant ! Il devait faire exploser sa bombe au même moment ! énonce le président qui a entendu l'essentiel du récit et passe bien près d'en crever.

Pendant un court moment, personne ne sait quoi penser. L'épisode est trop impressionnant.

- Aujourd'hui, je comprends son attitude ! Monsieur ne veut pas être un «numéro deux !» Ça me fait un peu peur, tout à coup ! Maintenant je m'explique pourquoi il a quand même tenu à venir ici ! Le petit salaud ! angoisse le président.

Comme s'il reconnaissait lourdement un fait devant un jury, le président avoue qu'en fait, il n'a jamais eu confiance en son fils. Que c'est un impulsif. Qu'il n'a jamais hésité à transgresser les règles ou les limites qu'on lui imposait. Jeune, il entraînait toujours sa soeur dans des jeux bizarres. À part ses maudits échecs ! Il lui a fait troquer la poupée et les jeux de cache-cache pour l'entraîner à des activités moins innocentes comme jouer avec le feu, inventer et effrayer par du tapage nocturne. Leur complicité a commencé à s'estomper quand il a voulu aller trop loin.

Mais, le moment étant peu approprié pour écouter ce touchant feuilleton familial, LeMadelaine s'apprête à lancer un appel afin qu'on intercepte le fou qui vient de s'échapper de l'Aqua-Musée. Le président renchérit en déclarant qu'il avertira la magistrature. Le sifflement est maintenant un peu plus présent. LeMadelaine redemande à Anic, puis à un agent de sécurité présent, s'ils entendent quelque chose. Question déjà presque ridicule. Il demande aussi au gardien de faire vérifier ailleurs dans le bâtiment si on perçoit ce bruit. Le gardien lui répond que ça rend les communications difficiles mais précise qu'on lui a déjà confirmé que ce bruit est présent partout et qu'il augmente assez rapidement. Il ajoute que ça ne semble pas déranger les artistes qui ont ouvert le spectacle depuis quelques minutes. Le bruit ressemble à la haute note d'une contrebasse métallique. Comme un son aigu et soutenu qu'on n'a vraiment pas envie d'entendre tellement il glace les tympans et les os. LeMadelaine n'aime pas ce qu'il ressent. Il tente de rattraper le temps qu'il vient de perdre et appelle tout de suite au sujet du fils du président. Le bruit est maintenant net. Il commence même à se faire de plus en plus dérangeant. Anic interpelle LeMadelaine pour lui demander de regarder le Légionnaire qui vient de s'asseoir dans son lit. Les yeux grands ouverts, ce dernier se met à crier; «Dans dix minutes ! Dans dix minutes !» Puis, il s'agite comme un diable. En faisant plusieurs simagrées, Anic essaie de lui demander ce qu'il veut dire par ce dix minutes. Sans vraiment sortir de son état de torpeur, et malgré le bruit qu'il n'entend certes pas mais qu'il sait présent, le Légionnaire finit par livrer ce que ce vilain Thorp Jr. lui a expliqué, après leur bataille, une fois attaché à moins d'une centaine de centimètres de la bombe. Dès que le système de son sera mis en marche pour le Télédon, à 20 heures précises, un petit bruit anormal en sortira, progressera et sera impossible à arrêter. Peu à peu, il deviendra aussi épouvantable qu'insupportable. Au bout de dix minutes seulement, ce bruit provoquera une vibration d'une puissance si démesurée, si précipitée et si intenable qu'elle finira par aggraver la brèche de la petite baie vitrée jusqu'à la faire se casser et ainsi créer une implosion qui détruira l'Aqua-Musée en quelques secondes. Communiquant ces informations, le Légionnaire s'agite tellement qu'il est sur le point de tomber de son lit. LeMadelaine, Anic et l'infirmier arrivent à peine à le retenir. LeMadelaine appelle le gardien mais le bruit, ajouté aux cris du Légionnaire, couvrent sa voix.

- Marc, est-ce le bruit dont tu parles ? crie LeMadelaine que l'appréhension empêche de réfléchir.

Il jette un coup d'oeil rapide à l'infirmier puis à Anic, et regarde à nouveau le blessé.

- Est-ce que c'est le bruit dont tu parles ? répète-t-il au Légionnaire.

- Monsieur LeMadelaine !... Il est sourd ! lui rappelle simplement Anic, bien qu'elle doive parler très fort, elle aussi.

- Nom de Dieu ! C'est donc ça, le stratagème ! Un coup de génie, oui ! lance LeMadelaine pour lui-même.

Le Légionnaire ne se calme toujours pas.

- Venez nous aider ! crie LeMadelaine à son gardien.

- Quoi ? répond l'autre dans le corridor qui tentait d'obtenir une quelconque transmission à l'aide de son communicateur portatif.

Voyant la situation, le gardien s'élance à leur aide. LeMadelaine agrippe son communicateur mais déjà, le bruit est tellement puissant qu'il lui est impossible de se faire entendre afin de donner l'ordre de couper tous systèmes de son reliés au Télédon. Il se rappelle avec horreur que c'était une idée de Louis Thorp fils de faire installer des hauts-parleurs partout dans l'Aqua-Musée. Additionnés à ceux, exagérément puissants, utilisés pour le mégaspectacle, le bruit est maintenant si fort que même en criant, personne n'arrive plus à s'entendre à quelques mètres les uns des autres. Un, puis deux, puis vingt marteaux piqueurs, en comparaison, feraient moins de bruit. «Si on pouvait au moins faire couper l'électricité !» LeMadelaine se rappelle soudainement que ce système de son possède un régime électrique exclusif lui permettant de fonctionner en cas de panne et qu'il est impossible de l'interrompre même en coupant le courant de tout le musée. Il décide alors de courir afin d'aller en personne, conjurer le technicien de fermer ou débrancher ce damné système de son. Anic, qui ne sait pas trop vers quoi il se lance, décide de le suivre dans ce bruit désormais aussi insupportable qu'un poids de plus de cinquante kilos d'acier sur les épaules. LeMadelaine doit ralentir sa course, obligé de protéger ses oreilles avec ses mains. Il se rend compte, à ce moment, que la distance est trop grande pour tenter de se rendre jusqu'aux techniciens du son. Il pense alors qu'il aura plus de chance s'il se rend à la petite pièce où se trouve la baie vitrée endommagée et de fermer la porte puisque cette pièce en est une d'accueil que l'on peut fermer hermétiquement. Ce qu'il aurait dû faire en tout premier lieu, pense-t-il. Cet épouvantable vacarme donne l'impression affreuse de chars d'assaut qui veulent s'immiscer dans la moelle osseuse. LeMadelaine fait demi-tour et aperçoit Anic qui vient de tomber au sol. Il la relève à demi et aperçoit le sang qui s'écoule de ses oreilles. Ses tympans sont rompus. N'ayant pas le temps de s'occuper d'elle, il lui fait une petite bise sur le front en guise d'excuses et reprend sa course à rebours. Sans savoir d'où lui vient cette force, Anic arrive à se lever et continue à suivre Kirk. Impressionné par ce courage, LeMadelaine l'admire mais n'a ni le temps de lui prendre la main, ni même celui de réfléchir. Il doit courir à toute allure alors que le bruit s'arrête net et est remplacé par une autre résonnance qui, lui semble-t-il, vient d'un autre univers. Le sang qui commence à lui couler des oreilles lui fait comprendre que ses tympans à lui aussi viennent de perforer. Il s'arrête de courir une fraction de seconde, le temps de regarder le sang dans ses mains. Mais, l'urgence est telle qu'il ne ressent pas l'atroce douleur. Il est rejoint par Anic. Ils se regardent un moment et s'aperçoivent en même temps qu'une légère vibration se fait sentir sous leurs pieds. Toute petite. Toute douce. Exactement comme a commencé le bruit qui doit être encore présent, mais avec la différence que cette vibration augmente à un rythme beaucoup plus rapide que ne le faisait le bruit. Sans pouvoir vraiment communiquer, ils repartent de concert dans leur course afin d'atteindre la brèche. Leur cou est déjà maculé du sang qui leur sort des oreilles et du nez. Ils savent que la pièce est à une distance encore très considérable mais peu importe, la vitesse de leur course pourrait impressionner plus d'un champion sprinter. Les vibrations se font maintenant sentir même en ne touchant le sol qu'au pas de course. Dans la grande salle, tachés de leur sang, tous sont plus ou moins tombés au sol. Les vibrations augmentent atrocement. Anic et LeMadelaine arrivent enfin près de la porte en question. Leur vue ne peut plus se préciser sur quoi que ce soit. Ses sens lui permettant encore un peu de lucidité, LeMadelaine constate que l'effet des vibrations n'aggrave pas l'état de la brèche. Des vibrations qui ne sont même plus dignes de ce nom. Tout, le sol, les murs sautillent tellement que le pied ne tient plus en place. À bout de force, LeMadelaine passe bien près de tomber au sol mais réussit à s'accrocher à la première prise solide se trouvant à proximité. Il commence, mais trop lentement, à fermer la porte qu'il n'arrive pas à bien saisir à cause du tremblement épouvantable. Alors qu'il est maintenant ardu de se tenir debout, Anic le rejoint et, sans trop savoir elle-même ce qu'elle fait, aide son nouvel allié dans son ultime effort. Si les mille cinq cent vingt-deux fantômes des victimes du *Titanic* sont là, ils ne les aident certainement pas à fermer cette porte maintenant beaucoup trop lourde pour les forces qu'il leur reste. LeMadelaine, qui vient de s'assurer que la brèche ne s'aggrave pas, est contredit dans son constat par une lézarde qui commence à se faire vers l'intérieur de la lentille. Est-ce un effet du tremblement qui n'en finit plus d'augmenter ou si c'est la vue qui est trop brouillée maintenant ? Non, la fissure commence vraiment à s'agrandir. Même qu'elle n'en finit plus de s'allonger. La lentille va se casser d'une seconde à l'autre alors qu'il en faudra encore une dizaine pour activer le système de blocage de la porte, même une fois celle-ci fermée. Et pour le comble, la toute petite manivelle qui sert à sceller la porte est défectueuse. Bien sûr, Louis Thorp Jr. n'allait pas faire les choses à demi. Réussissant à constater l'état navrant de la baie vitrée, Anic réalise, tout comme LeMadelaine, qu'il ne leur reste qu'une seconde à vivre. Le temps d'un éclair, elle a l'impression de comprendre les raisons qui ont, dans un premier temps, poussé son père à dire non au projet. Pourquoi elle-même avait des doutes que même les superstructures de soutien n'ont jamais vraiment effacés. Et cette présence autour d'elle, cette main qu'elle sentait souvent sur son épaule depuis l'inspiration des structures de soutien ! Quelque part, quelqu'un voulait-il lui parler ? Avant que tout ne leur saute en plein visage, ils ont juste le temps, à demi-morts déjà, d'avoir la même intention: l'un à l'autre, ils s'enlacent lentement, amoureusement et à jamais. Sous leurs yeux, le solide verre se brise. En moins de trois secondes, avec la violence de la bombe d'Hiroshima explosant vers l'intérieur, l'implosion détruit l'Aqua-Musée tout entier avec un bruit de sable lourd qui tombe sur du sable.

Le calme

Dans une petite ouverture de cet amas ferrailleux, le *Titanic* se retrouve dans l'environnement abyssal auquel il était habitué depuis la nuit de sa première tragédie. Avec une seule différence, il a frappé une deuxième fois. Quittant cette fin du monde localisée, la formidable bulle d'air qui se dirige vers la surface serait assez grosse et puissante pour renverser bateaux et plate-forme si elle frappait tout de suite après avoir quitté le lieu de destruction. Mais, avec les quatre kilomètres à remonter, c'est toute diluée qu'elle arrive là-haut. Il n'y a que Louis Thorp Jr. qui remarque ces petites bulles anormales, lourdes de conséquences. Elles viennent confirmer son succès. Il est maintenant le grand patron. À moins qu'on ne parvienne à mettre à jour la fausse rencontre à laquelle devait se rendre son père, solide alibi qu'il s'est inventé, Louis Jr. est le président suprême. Et l'un des trois ou quatre les plus puissants du monde. Certes, il y aura des recherches, des enquêtes, peut-être un procès mais, bien inutiles. Car il n'existe plus aucun témoin de son geste, aucun indice.

- Votre héli-jet est arrivé monsieur Thorp !

Juste avant de partir, Louis Jr. appelle en bas faisant croire qu'il a oublié quelque chose et c'est lui, l'insolent, qui dira:

- Je ne sais pas ce qui se passe mais je n'arrive pas à avoir la communication avec l'Aqua-Musée ! Tant pis, j'appellerai plus tard !

Puis, sous les pâles reflets du blanc feu d'artifice commandé antérieurement par papa en l'honneur du Télédon et de l'arrivée du gigantesque navire, rappelant étrangement aussi les feux de détresse du *Titanic*, Louis Thorp Jr., fils de feu le président du même nom, regarde le spacieux *Freedom* amarré nez à nez avec le *Titanic II*. Les deux navires ont l'air de bien s'entendre. «Malgré son immensité, sa totale démesure, il a l'air bien ridicule ce divin *Freedom*, pense Thorp Jr. C'est comme s'il ignorait qu'il n'aura pas besoin de couler pour que ses premiers passagers n'arrivent jamais à destination. Lui, heureusement, conserve toujours la perspective d'une longue et laborieuse carrière. Cette... mésaventure ne fera pas de lui un bateau damné, bon pour les oubliettes, tout juste après avoir appareillé pour son voyage inaugural, comme ce fût le cas pour le *Titanic*.»

Et moi ?

Je ne suis qu'un fantôme. Toutes ces histoires du *Titanic* n'en sont qu'une seule. Ce peut-être la mienne aussi. Dans ce cas, elle devient la nôtre à tous. Celle-ci, par surcroît, est l'histoire d'un gars qui avait des comptes à régler avec son père. L'histoire de gens, nombreux, qui se sont tout simplement trouvés sur son chemin.

Comme pour l'événement de 1912, les raisons de la disparition de l'Aqua-Musée n'avaient, elles non plus, rien à voir avec le bâtiment. Ce joyau architectural était sécuritaire. Mais, bien que tout projet hautement technologique et structural puisse être conçu à l'épreuve de tous les écueils concevables, les mille chances pour qu'un projet se concrétise nous font oublier la potentielle, l'unique possibilité d'une catastrophe, d'un échec... On n'envisage même pas l'impossible probabilité. On l'écarte, tout simplement. Pourtant, qu'on se le dise, aucune mécanique ne peut résister à la jalousie, à l'orgueil... et au pouvoir.

Et moi ? Je ne suis qu'un esprit, un fantôme et peut-être un spectre.

FIN

"Le *Titanic* s'en est allé pour de bon !

De cela, je suis à la fois triste et heureux. Le fond de l'océan est un lieu où règne la paix éternelle.

À l'avenir, quand je penserai au *Titanic*, je le verrai se dressant sur le fond, ayant enfin trouvé le repos."

Robert D Ballard, L'EXPLORATION DU TITANIC, 1986

Achevé d'imprimer chez
MARC VEILLEUX IMPRIMEUR INC.,
à Boucherville,
en septembre deux mille deux